geni@l

Deutsch als Fremdsprache für Jugendliche

Das lernst du in geni@l

Fotos – Kommentare – internationale Wörter

1 Was ist das? Wer ist das?

7

8

6

Wer ist das?	Das ist Michael Schumacher.
	Das ist Mozart.
	Keine Ahnung.
Was ist das?	Das ist ein VW / ein Ferrari.
	Das ist das Matterhorn.
Ist das Frankfurt?	Nein, das ist Berlin.
Das Foto	ist aus Deutschland.
	aus Österreich.
	aus der Schweiz.
Das Foto	ist schön/interessant.

2 **Geräusche, Töne und Bilder – Was ist das? Was passt zusammen?**

Hallo, wie heißt du?

3 Hallo, wie heißt du? – Hört und lest die Dialoge.

1
- ● Hallo, ich heiße Marco, und du?
- ○ Janine.
- ● Magst du „Zoff"?
- ○ Ja, und du?

2
- ● Hallo Luise.
- ○ Tag, Sophie, wie geht's?
- ● Danke, gut, und dir?
- ○ Auch gut, danke.

3
- ● Hi, Olli! Echt cool hier.
- ○ Oh, ja! Guten Abend, Herr Schmidt.

4
- ● Tschüs, Sophie.
- ○ Tschau, Frau Maier.

5
- ● Auf Wiedersehen, Herr Müller.
- ○ Auf Wiedersehen, Tom. Bis bald.

4 Übt die Dialoge aus Aufgabe 3 mit anderen Namen.

5 Ein Lied: Paule Puhmanns Paddelboot.

Gu-ten Tag, auf Wie-der - sehn! Gu-ten Tag, auf Wie-der - sehn!

6 Das Alphabet mit Musik üben.

A B C D E F G H I J K L M N O P Q R S T U V W X Y Z
Ä   Ö   Ü

a b c d e f g h i j k l m n o p q r s t u v w x y z
ä   ö   ß   ü

7 Die Clique – Dialoge hören und sprechen.

- ● Wie heißt du?
- ○ Wer, ich?
- ● Ja, du!
- ○ Ich heiße Cora, und du?
- ● Rudolf.
- ○ Und wer ist das, Rudolf?
- ● Das ist Turbo.
- ○ Wie bitte?
- ● Ja, sie heißt Turbo.
  Und wer ist das?

8 Wortakzent – Schreibt die Wörter. Hört zu und markiert den Wortakzent.

Marco – Cora – Turbo – Rudolf – Berlin – Müller – Luise – VW – Tennis – Musik – Schule –
Guten Morgen – Foto – Deutschland – Frankfurt

Marco – Cora

9 Wie bitte? – Namen buchstabieren.

- ● Ich heiße Rudi.
- ○ Xiao Lin.
- ● Wie bitte?
- ○ Xiao Lin.
- ● Kannst du das buchstabieren?
- ○ X I A O L I N. Xiao Lin.
- ● Aha, tschau, Xiao Lin.

Internationale Wörter

10 Welche Wörter kennst du? Wie heißen die Wörter in deiner Sprache?

11 Zwei Zeitungsnotizen

a **Betrachtet die Fotos und lest die Texte.**

Erste deutsche Medaille bei den Paralympics

Nach einer sensationellen Eröffnungsfeier haben die deutschen Athletinnen und Athleten ihren ersten Wettkampftag bestritten. Insgesamt 7 Entscheidungen standen in den Sportarten Judo, Radsport, Sportschießen und Rollstuhlbasketball auf dem Programm. Dabei gewann Sportschützin Sabine Brogle mit 490,1 Ringen Silber und holte die erste Medaille für das deutsche Team.
Erfreut zeigten sich die Behinderten-Sportfunktionäre auch über die ausführliche Präsenz in den Medien. ARD und ZDF setzten mit ihren täglichen Sondersendungen ein positives Signal.

Computer für Jenaer Gymnasien

Jena (TWB). Jenaer Gymnasien werden ab September mit modernster Computertechnik ausgestattet sein. Die JENOPTIK AG sponsert in 9 Gymnasien die Ausrüstung mit aktueller Computertechnik und Software im Gesamtwert von € 180.000. Über die Bedeutung des Internets braucht nicht mehr diskutiert zu werden. Jetzt werden die Voraussetzungen für die Schüler geschaffen, täglich mit den neuen Medien umzugehen. Die SBI (System- und Anwendungsberatung für Informationstechnologie) Jena wird die Installation in den nächsten Tagen starten.

b **Internationale Wörter – Was kennt ihr? Notiert die Wörter.**

12 Lernplakat „Internationale Wörter" – Sammelt und macht eine Liste.

Sport	Musik	Technik	Essen und Trinken	Filme
Medaille				

13 Deutsch hören – Welche Wörter verstehst du? Notiere.

10

Personen – Informationen

1 **Die Video-AG – Höre zu. Was verstehst du?**

Ich bin Tanja Kaiser. Ich bin 13 und gehe in die Klasse 7a. Ich liebe Filme und ich mag auch Musik. Ich spiele Klavier und Flöte. Sport mag ich nicht. Ich mag Tiere, ich habe drei Katzen.

Hallo, das ist die Video-AG des Max-Planck-Gymnasiums. Ich heiße Monika Winter und ich bin 13 Jahre alt. Ich wohne in München. Ich habe viele Hobbys. Ich spiele Klavier und ich mag Sport: Ich spiele Tennis und ich schwimme. Und ich filme gern.

Mein Name ist Markus Krause. Ich komme aus Köln. Ich wohne jetzt in München. Ich fotografiere gern und ich spiele Fußball. Ich kann Spaghetti kochen und ich mag Musik. Am liebsten Jazz. Ich kann ein bisschen Gitarre spielen.

2 **Informationen sammeln – Lest und notiert. Vergleicht in der Klasse.**

Name: ... Hobbys: ... ☺ mag: ...
Stadt: ... Sport: ... ☹ mag nicht: ...
Musik: ... Tiere: ...

3 **Und du?**

Woher kommst du?

Ich mag ...

Wo wohnst du?

Ich heiße ...

Ich spiele ...

Wie ...?

Ich komme aus ...

Ich kann ...

Wie alt bist du?

Ich wohne in ...

Ich kann ... Wie heißt das auf Deutsch?

Boxen!

Personen vorstellen – Sie heißt Tanja

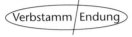 **Lies und vergleiche mit Tanja in Aufgabe 1.**

Sie heißt Tanja. Sie ist 13.
Sie geht in die Klasse 7a.
Sie liebt Filme und sie mag auch Musik.
Sie spielt Klavier und Flöte.
Sport mag sie nicht. Sie hat drei Katzen.

Verben markieren wir so:

Verbstamm / Endung

wohn /en	ich wohn /e	er/es/sie wohn /t
komm /en	ich komm /e	er/es/sie komm /t
spiel /en	ich spiel /e	er/es/sie spiel /t

6 **Regelmäßig – unregelmäßig – Vergleiche die Verben.**

schwimmen   ich schwimme   er/es/sie schwimmt
kochen   ich koche   er/es/sie kocht

⚠ mögen   ich mag   er/es/sie mag
⚠ sein   ich bin   er/es/sie ist

7 **Stelle Turbo und Monika vor.**

Das ist Monika. Sie mag …

Sie kommt aus …

Das ist … Sie …

Turbo
eine Ratte
Disneyland ☺
Spaghetti kochen ☹
schwimmen ☹
Katzen ☹

8 Wer ist das? Das ist … – Ein Quiz in der Klasse

kommt	aus Frankreich / aus der Schweiz …
wohnt	in Berlin / in Genf / in Paris …
spielt	Tennis/Fußball/Gitarre …
kann	Klavier spielen / singen / Tennis spielen …
mag/liebt	Tiere/Pizza/Deutsch/Sport …
ist	stark/schön/intelligent …
ist	Sänger/Filmstar …
	schwimmt gern / kocht gern / telefoniert gern …

9 Projekt – Bringt Fotos mit und schreibt Texte wie in Aufgabe 4.

10 Sprachen und Länder – Woher kommen die Leute? Ordne zu.

Nazywam się Dagmara i chętnie uprawiam sport.

Mi chiamo Marco e mi interesso di tecnica.

Ágotának hívnak. Szivesen megyek a diszkóba.

¡Me llamo Pedro y me gusta ver la tele!

Er/Sie kommt …

aus Spanien / Ungarn / Italien / Polen …
aus der Schweiz / Türkei / Slowakei …

11 Deine Klasse – Wie viele Länder?

Ich komme aus Russland.

Ich komme aus …

Aussprache – Wortakzent und Satzmelodie

12 Ländernamen – Höre zu. Achte auf die Markierung: kurz • und lang — .

Griechenland – Türkei – Spanien – Finnland – Österreich – Kanada – Schweden – Russland

13 Schreibe die Ländernamen. Höre zu und markiere kurz • und lang — .

Frankreich – Schweiz – Thailand – Slowakei – Deutschland – Italien – England

14 Lernplakat – Macht ein Aussprache-Plakat in der Klasse.

Spanien   Sport   Spaß
heiße   Haus   Hotel

15 Wörter und Sätze – Suche in Einheit 1 und 2 Sätze zu den Wörtern. Lies vor.

heiße – ist – mag – kochen – Katzen – danke – Ferrari – Foto – buchstabieren

Ick ..eiße Paul.

Ich heiße Paul.

16 Satzmelodie – Hört zu und sprecht nach.

1. Berlin. Ich wohne in Berlin.↘
2. England. Eric kommt aus England.↘
3. Turbo. Sie heißt Turbo.↘
4. Fred. Mein Name ist Fred.↘
5. Spanien. Dolores mag Spanien.↘
6. Deutschland. Fritz wohnt in Deutschland.↘

17 Wiederholen – Buchstabieren und Wörter raten.

Sport: n i n t e s

Wie bitte? Ach so! Tennis

Und jetzt du! Stadt: r l b e n i

Land
Name
Musik
Sport
Essen
...

Wer, was, wo ...?

18 Der „www.rap" – Hört zu und singt mit.

> Wer, was, wie, wo, woher?
> Das ist doch nicht so schwer.
> Was, was, was ist das?
> Das ist Deutsch und Deutsch macht Spaß.
> Wie, wie, wie heißt sie?
> Sie heißt Ruth und sie fährt Ski.
> Wer, wer, wer ist er?
> Er heißt Paul und liebt sie sehr.
> Wo, wo, wo liegt Bern?
> In der Schweiz, da bin ich gern.
> Woher, woher, woher kommt er?
> Er kommt aus Wien, da kommt er her.

19 W-Fragen – Ergänzen, zuordnen und vorlesen.

1. Wo wohnt ...?
2. Was mag ...?
3. Wer spielt ...?
4. Woher kommt ...?
5. Wer ... gerne?
6. Wer kann ...?
7. Wer liebt ...?
8. Wer hat ...?

a) Monika wohnt in München.
b) Tanja hat drei Katzen.
c) Markus mag Musik.
d) Tanja spielt Klavier und Flöte.
e) Monika kann schwimmen.
f) Markus kommt aus Köln.
g) Markus fotografiert gerne.
h) Tanja liebt Filme.

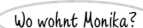

> Wo wohnt Monika?

> Monika wohnt ...

20 Informationen im Text – Notiert W-Fragen und fragt in der Klasse.

Die Clique

Die Fantastischen Fünf, das sind Boris, Biene, Cora, Rudi und die geniale Ratte Turbo. Heute präsentieren wir euch Sabine oder auch Biene. Biene ist 13 und kommt aus Hamburg. Ihr Vater heißt „Woody". Er ist aus New York. Biene mag New York und Hamburg. Biene mag Musik. Sie spielt Klavier, Flöte und Saxofon. Sie mag natürlich Turbo. Biene kann kochen. Tee, Kaffee und Spaghetti kocht sie besonders gut. Sie ist sehr schön und cool, sehr cool! Mag Biene Sport? „Sport, nein danke!", sagt Biene.

> Woher kommt ...?

> Was mag ...?

> Was kann ...?

21 W-Fragen in der Klasse.

Wie heißt du?
Wo wohnst du?
Woher kommst du?
Was magst du?
Was kannst du?

2. Person: du

kommst
wohnst
bist
...

22 Lesestrategie – Informationen zu W-Fragen suchen.

Wie heißt der Junge?　　(Name)
Wie alt ist er?　　　　(Alter)
Was mag er?　　　　　(Sport)

Was mag er?　　　　　(Musik)
Wo wohnt er?　　　　(Stadt)
Woher kommt er?　　(Land)

Senden von Na... ich!

| Senden | Zitat | Adresse | Anfügen | Optionen | Rechtschreib. | Sichern | Sicherheit | Stop |

An ▼ m.martinez@donx.fr

Betreff: Das bin ich!　　　　　　　　　　　　　　　　**Priorität:** Standard ▼

Standard ▼ 12 ▼

Lieber Austausch-Freund!

Wie geht es dir? Ich heiße Andreas und bin 12 Jahre alt. Am 1. März werde ich
dreizehn. Ich freue mich schon sehr auf England. Ich bin blond und habe blaue
Augen. Ich habe gerne Spaß und bin fast nie schlechter Laune - außer am
Morgen.
Meine Hobbys sind Eislaufen, Skifahren, Schwimmen, Badminton, aber am meisten
mag ich Reiten. Ich bin auch gern mit Freunden zusammen. Wir gehen ins Kino
und haben viel Spaß. Ich lese auch manchmal gern, aber meistens habe ich keine
Zeit.
Welche Musik hörst du gerne? Ich mag Will Smith, Mariah Carey, Christina
Aguilera. TLC, Eiffel 65, Lou Bega, Puff Daddy und viele mehr.
In unserer Schule müssen wir keine Uniform tragen; nur bei speziellen Anlässen.
Wien ist wirklich cool. Es gibt hier immer etwas zu tun. Wenn du nach Wien
kommst, wirst du viel Spaß haben!
Schreib mir bald. Ich freue mich, von dir zu hören.

Andreas

Thema „Schule"

die Turnhose

das Pausenbrot

das Wörterbuch

die Schokolade

die Uhr

das Vokabelheft

das Heft

die Brille

das Englischbuch

die Kassette

der Marke

die Schere

die Fahrkarte

das Mäppchen

das Lineal

der Bleistift

der Radiergummi

der Spitzer

der Füller

der Kuli

die Banane

der Geldbeutel

die Schultasche

das Handy

der Discman

die CD

1 **Die Schultasche – Hört zu und zeigt die Gegenstände. Sprecht nach.**

17

der Bleistift

der Bleistift

der Bleistift

2 **Gegenstände in der Klasse – Frage deinen Lehrer / deine Lehrerin.**

Wie heißt das auf Deutsch?

Tafel, die Tafel.

3 **Das Wörter-ABC**

Ein Wort mit B.

B..., B..., Bleistift – der Bleistift!
Ein Wort mit S.

Sch...

Nomen und Artikel: *der, das, die*

4 Wie lerne ich die Artikel? Hier sind zwei Lerntipps.

Lerntipp 1   Nomen farbig markieren.

der	das	die
der Bleistift	das Heft	die Schere
der Spitzer	das Deutschbuch	die Brille

Lerntipp 2   Nomen zu Fantasiebildern verbinden.

der Elefant

das Auto

die Blume

Problem „Brille":
der? das? die?

Fantasiebild:

5 Wortakzent – Höre zu, schreibe die Wörter und markiere den Wortakzent.

die Sch<u>e</u>re

6 Komposita
a Schreibe die Wörter mit Artikel.
b Höre zu und markiere den Wortakzent.

Pausenbrot – Deutschbuch – Vokabelheft – Fahrkarte – Wörterbuch – Radiergummi –
Turnhose – Schultasche

das P<u>au</u>senbrot (das Brot)

7 Zwei Regeln finden – Wo ist der Wortakzent? Woher kommt der Artikel?

Unbestimmte Artikel: *ein, eine – kein, keine*

8 **Was ist denn das?**

Rudi: Ist das ein Motor?
Biene: Nein.
Rudi: Das ist ein Fahrrad.
Biene: Nein.
Rudi: Was ist das?
Biene: Eine Uhr!

9 *Ein, eine* und *der/das, die* – **Wie heißt der bestimmte Artikel?**

ein Füller – ein Geldbeutel – ein Radiergummi – eine Kassette – ein Mäppchen – ein Kuli – eine CD – ein Marker

10 **Was ist ein Computer? – Sprecht in der Klasse.**

Ein Computer ist ein Aquarium.

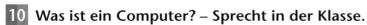

die Schreibmaschine
das Wörterbuch
das Spielzeug
der Fernseher
das Kino
...

11 *Ein, eine* und *kein, keine* – **Hört die Dialoge.**

Was heißt Fisch?
Was heißt Fenster?

Das ist ein Schulhof und kein Sportplatz!

Also so was! Das ist doch keine Ratte, das ist ein Hund!

Ich bin doch kein Wörterbuch!

12 **Eine Regel selbst finden: unbestimmte Artikel – Macht eine Tabelle.**

der Schulhof		ein Schulhof		kein Schulhof	
die Ratte		...		...	

Ja/Nein-Fragen und Antworten

13 *Ist das ein/eine … ?* – Fragt in der Klasse.

 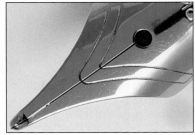 

● Ist das eine Schere? ● Ist das ein Kuli? ● Ist das ein Lineal?
○ Nein, das ist … ○ Nein, das … ○ Ja, richtig!

14 **Noch mehr Fragen – Was stimmt?** – *Ja – Ich weiß nicht – Nein.*

Kann Biene schwimmen?

Ja.

Ich weiß nicht.

Nein.

Spielt Boris Fußball? Kann Cora kochen? Liebt Biene Boris? Kann Rudi Klavier spielen?

15 **Lernplakat: Fragen und Antworten – Sammelt Beispiele.**

W-Frage		Wo	wohnt	Peter?
Antwort		Peter	wohnt	in England.
Ja/Nein-Frage			Peter	in Italien?
Antwort	Nein,	Peter		…

16 *Ja* oder *nein*?

a Mache eine Liste wie im Beispiel. Höre zu, lies die Fragen und kreuze an.

b Macht dann eine Statistik in der Klasse.

1. Kannst du kochen?
2. Magst du Mozart?
3. Spielst du Fußball?
4. Hast du ein Fahrrad?
5. ...

	1	2	3	4	5	6	7	8	9	10	11	12
Ja	11											
Nein	1											

Kannst du kochen?

17 Ein Spiel

Wohnst du in Berlin?

Nein. Wohnst du in London?

Ja ... Mist.

Paris/Berlin/London?
Monika/Fritz/Erich?
Klavier/Gitarre/Flöte?
Pizza/Spaghetti/Hamburger
cool/intelligent/faul?
kochen/schwimmen/singen?
Tiere/Jazz/Mozart?

Wohnst du in
Heißt du
Spielst du
Magst du
Bist du

18 Keine Zeit –
Spielt in der Klasse.

Wer kommt mit zum Konzert?

Keine Zeit!

Kein Geld!

Kein Interesse!

Keine Lust!

Die Goetheschule in Kassel

Goetheschule

Gymnasium für die Klassen 5–13
www.goetheschule-kassel.de
Ysenburgstraße 41
34125 Kassel
Tel.: 05 61/87 10 49
Fax: 05 61/87 10 40

Der Eingang

Direktorin: Margitta Thümer
1050 Schüler/innen
52 Klassen/Kurse
74 Lehrer/innen
Unterricht: 8.00 bis 13.15 Uhr

Arbeitsgemeinschaften

Chor
Orchester
Schulzeitung
Informatik
Foto
. . .

Der Fotokurs

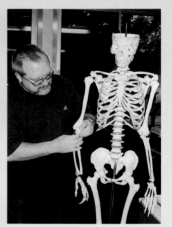

Unser Biolehrer

12 Sport-AGs

Beispiele:
Basketball
Fußball
Judo
Rudern
Schwimmen
Volleyball
. . .

Die Ruder-AG

1 Das verstehe ich: Wörter sammeln, in der Klasse diskutieren.

2 Fragt in der Klasse. Die Homepage informiert.

Wie viele Schülerinnen gibt es?
Wie viele … ?
Wo ist die Schule?
Wie heißt die Stadt?
Wie heißt … ?
Gibt es ein Orchester?
Gibt es … ?

3 Eine E-Mail – Lies den Brief. Welche Wörter kennst du?

```
╔═══════════════ Senden von Nachricht: Hallo ═══════════════╗

  Senden   Zitat   Adresse   Anfügen   Optionen   Rechtschreib.   Sichern   Sicherheit   Stop

  An           ▼

Betreff: Hallo                                      Priorität: Standard ▼

Standard  ▼  12 ▼  ▦  A A A A  ▤▤ ▤▤ ◀▤ ▶▤  ▤▼ ▢▼
```

Liebe Freunde,
die Fotos sind von der Homepage meiner Schule. Sie zeigen den Eingang, den Fotokurs, die
Ruder-AG und einen Biologielehrer. Es gibt auch eine Cafeteria.

Die Goetheschule hat über 1000 Schüler. Alle Schüler lernen ab Klasse 5 Englisch. Ab
Klasse 7 können wir Französisch, Latein oder Russisch lernen. Alle Schüler müssen zwei
Sprachen lernen. Der Computerkurs beginnt in Klasse 8. Ab Klasse 9 können wir noch eine
Sprache lernen. Wir können aber auch Biologie, Physik, Musik und Kunst wählen.
Am Nachmittag gibt es viele AGs (Arbeitsgemeinschaften) und Projekte, zum Beispiel:
Chor, Orchester, Schulzeitung oder Sport. Die Ruder-AG ist spitze!
Die Schulzeitung heißt „Umlauf" (www.umlauf.de). Auf der Homepage findet ihr alle Infos.
Wie viele Stunden habt ihr? Wie viele Schüler habt ihr? Wie lange habt ihr Schule?
Könnt ihr Fächer wählen? In Klasse 7 haben wir am Nachmittag keine Schule. Hier ist mein
Stundenplan:

ZEIT	Montag	Dienstag	Mittwoch	Donnerstag	Freitag
8.00		Sport ☺ ☺	Kunst ☺	Mathematik	Mathematik
8.50	Bio ☹	Sport ☺ ☺	Kunst ☺	Französisch	Englisch
9.50	Mathematik ☺	Bio	Französisch	Deutsch	Religion
10.40	Französisch ☹	Mathematik	Englisch	Physik	Deutsch
11.40	Deutsch ☺	Englisch ☺	Deutsch	Englisch	Französisch
12.30	Physik ☺	Religion ☹ ☹			Französisch
13.15	Mittagspause	Mittagspause	Mittagspause	Mittagspause	Mittagspause

Herzliche Grüße,

Janine

Am Samstag und Sonntag ist schulfrei.

4 Schulfächer – Hört zu und sprecht nach.

Biologie – Chemie – Mathematik – Deutsch – Kunst – Musik – Englisch – Französisch –
Sozialkunde – Geschichte – Sport – Physik – Religion – Informatik

5 Sprecht über den Stundenplan von Janine.

Wann hat Janine Bio?

Am Montag und am Dienstag.

Mag Janine ...?

Die Zahlen von 0 bis 100

6 Hört zu und lest die Zahlen bis zwölf.

0 null – 1 eins – 2 zwei – 3 drei – 4 vier – 5 fünf – 6 sechs – 7 sieben – 8 acht – 9 neun – 10 zehn – 11 elf – 12 zwölf

7 Eine Regel finden – Schreibe die Zahlen.

13 dreizehn – 14 ... – 15 ... – 16 **sech**zehn – 17 **sieb**zehn – 18 ... – 19 ...

8 Welche Zahlen fehlen in der Reihe?

zwanzig – dreißig – vierzig – ...zig – **sech**zig – **sieb**zig – ...zig – ...zig – (ein)hundert

9 Zahlen aussprechen – Vergleiche: Deutsch, Englisch, deine Sprache.

englisch: twenty   three

2   3

deutsch: 3 und 20

drei und zwanzig

10 Lottozahlen – Notiere 3 mal 6 Zahlen: 1 bis 49.
Höre zu. Wie viele Richtige hast du?

11 Diktiert Telefonnummern in der Klasse.

12 Wie groß bist du? Fragt in der Klasse.

Ich bin ein Meter vierundfünfzig, und du?

Zahlen und Uhrzeiten

13 Wie spät ist es? Lies die Tabelle, höre zu und sprich die Uhrzeiten nach.

Es ist 8 Uhr 15. Es ist 20 Uhr 15.	Es ist 8 Uhr 30. Es ist 20 Uhr 30.	Es ist 8 Uhr 45. Es ist 20 Uhr 45.	Es ist 9 Uhr. Es ist 21 Uhr.	Es ist 9 Uhr 5. Es ist 21 Uhr 5.
Es ist Viertel nach acht.	Es ist halb neun.	Es ist Viertel vor neun.	Es ist neun.	Es ist fünf nach neun.

14 Sage die Uhrzeiten.

`7:15` `12:10` `15:25` `17:53` `23:30` `:`

15 Wie viel Uhr ist es? – Höre zu und notiere die Uhrzeiten.

16 Uhrzeiten zu zweit trainieren.

Was hast du am Montag um 8?

Mathe.

Und was hast du Dienstag um 10?

...

17 Paulas Schultag – Höre zu. Notiere Uhrzeiten und Schulfächer.

18 Dein Schultag – Schreibe einen Text und lies vor.

Montag: Der Unterricht beginnt um … Zuerst habe ich …
Um … Uhr habe ich … Dann habe ich …
Um … ist Pause. Dann …
Um … habe ich Schluss.

Pluralformen

19 *Die Stunde, die Stunden* – Lies den Text. Welche Wörter sind im Plural?

Ein Tag hat 24 Stunden, eine Stunde hat 60 Minuten, eine Minute hat 60 Sekunden. Eine Schulstunde hat 45 Minuten. Eine Schulwoche hat fünf Tage.
Die Goetheschule hat einen Direktor, mehr als tausend Schüler und Schülerinnen, 52 Klassen und 74 Lehrer und Lehrerinnen.

20 Sprachlupe – Pluralformen
a Ordnet die Wörter und macht eine Tabelle an der Tafel.

die Fotos – **die** Schüler – das Radio –
das Verb – **die** Nummern – **die** Pausen –
die Uhren – das Foto – **die** Schülerinnen –
die Pause – **die** Schulen – **die** Fächer –
die Uhr – **die** Zahlen – **die** Tage –
die Mädchen – der Schüler –
die Stundenpläne – **die** Väter …

	Singular 👤	Plural 👥
(ä/ö/ü) –	das Mädchen	
–s	das Auto	die Autos
–n	die Sprache	
–(n)en	die Zahl	die Zahlen
	die Schülerin	
(ä/ö/ü) –e	der Stundenplan	
(ä/ö/ü) –er	das Fach	

> Das ist eine Uhr.

> Das sind zehn Uhren!

b Wie heißt der Lerntipp?

Lerntipp   Der bestimmte Artikel im Plural ist immer d…

21 Wähle zehn Nomen aus den Einheiten 1 bis 4.
a Suche die Pluralformen in der Wortliste.
b Schreibe Lernkarten.

die Lernkarte

die Lernkarte**n**

Lerntipp   Nomen immer mit Artikel und Plural lernen.

22 Verben und Pronomen im Plural – Lest die Tabelle, sammelt Beispiele.

Das kennst du schon:

Singular	
ich	lerne
du	lernst
er/es/sie	lernt

Plural	
wir	lernen
ihr	lernt
sie	lernen
Sie (formelle Anrede)	lernen

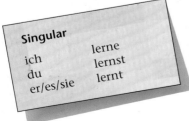

> Bitte sprechen Sie langsam, Herr Schmidt!

23 Schulen vergleichen – Fragt in der Klasse.

1. Wir lernen drei Sprachen. Lernt ihr auch …?
2. Wir beginnen um 8 Uhr. Beginnt …?
3. Wir haben eine Lehrerin in Deutsch. Habt …?
4. Wir können am Computer arbeiten. Könnt …?

5. Wir können Fächer wählen. Könnt …?
6. Wir essen in der Cafeteria. Esst …?
7. Wir haben ein Orchester. Habt …?
8. …

24 Beantwortet den Brief von Janine.

Schüler – Fächer – Unterricht von … bis … – Stundenplan – Sport – AGs …

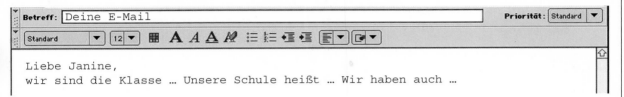

Betreff: Deine E-Mail   Priorität: Standard

Standard 12 A A A A ...

```
Liebe Janine,
wir sind die Klasse … Unsere Schule heißt … Wir haben auch …
```

25 Ein Interview mit der Clique – Ergänze Verbendungen und die Personalpronomen.

● Hallo, was mach… ihr hier?
○ Wer, wir?
● Ja, …
○ Wir mach… nichts!
● Nichts? Geh… ihr nicht in die Schule?
○ Schule? Am Samstag? Nein, … machen Musik.
● Musik? Was spiel… …?
○ Rock, Techno, wir … alles.

ALSO… TSCHÜS DANN…

TSCHÜS!

TSCHÜHÜS!

TSCHÜS…

TSCHÜHÜS!

TSCHÜS!

TSCHÜS!

TSCHÜS.

LASS' MICH RATEN…
MATHE ODER ENGLISCH?

1 Abc-Spiel – Wörter von A bis Z

2 Fußball in der Klasse – Eure Lehrerin / Euer Lehrer hat die Regeln.

A   B

3 WWW-Fragen und Antworten

Schreibt Fragewörter auf Karten.

A zieht eine Karte und bildet eine Frage.
B antwortet.
B zieht eine Karte und fragt C.
C antwortet …

Wo wohnst du?

Ich wohne in Paris.

Wo?

4 Was passt hier nicht? Findet noch mehr Beispiele.

1. Auto – Straße – Fahrrad – Schokolade
2. Radiergummi – Turnhose – Tafel – Bleistift
3. Klavier – Fußball – Gitarre – Flöte
4. Mathematik – Biologie – Chor – Englisch
5. …

Katse – Blume – Hund – Vogel

5 Wer oder was ist das? Wo ist/steht das?

Das ist ein ...

Das ist ...

Das ist in Einheit ...

Das ist eine ...

Das Foto ist auf Seite ...

6 Wie heißt die Frage?

Kannst du kochen?

Wohnst du hier?

Wie ...?

Magst du Mozart?

1. Ja!
2. Aus München.
3. Maria.
4. 15.
5. Ja, Spaghetti.
6. Nein!
7. Am Montag.
8. Ja, eine Katze.

7 **Informationen über Maria – Suche die Wörter und ergänze die Sätze.**

	1	2	3	4	5	6	7	8	9	10
A	R	N	P	K	D	A	C	H	T	C
B	U	F	O	L	R	T	P	V	A	F
C	B	I	N	B	E	C	I	C	D	A
D	Ü	S	Y	N	I	R	I	H	R	O
E	C	C	V	C	Z	E	T	E	E	R
F	H	H	L	J	E	I	A	M	D	S
G	E	E	Y	N	H	T	L	I	C	T
H	R	K	E	I	N	E	I	E	K	M
I	S	I	N	G	E	N	E	M	F	I
J	C	B	A	D	M	I	N	T	O	N

1. Maria kommt aus [?].

D7 bis J7: Maria kommt aus Italien.

2. Sie ist [?] Jahre alt.
3. Sie hat 4 [?].
4. Sie kann gut [?].
5. Ihr Lieblingsfach ist [?].
6. Sie macht viel Sport, [?] und [?].
7. Ihr [?] heißt Blacky.
8. Sie hat viele [?].
9. Der Unterricht beginnt um [?] Uhr.
10. Sie hat [?] Fahrrad.

8 **Schreibe einen Text über …**

Conny kommt aus …

9 **Artikel-Gymnastik**

1. Jeder notiert drei Nomen ohne Artikel.

Kuli, Banane, Mäppchen

2. Sammelt die Zettel ein.

3. Bildet drei Gruppen:
der-Gruppe, das-Gruppe, die-Gruppe.

Ein Schüler / Eine Schülerin liest vor.
Die Gruppe mit dem passenden Artikel steht auf.

10 **Welche Bilder passen? Hört zu, notiert die Informationen.**

1. Der Film „Dinosaurier" beginnt um [?] Uhr.
2. Peter kommt aus [?].
3. Die Tochter von Frau Schmidt ist [?] Jahre alt.
4. Die Telefonnummer von Paul ist [?].
5. Max hat [?] Computer.
6. Das Auto ist ein [?].
7. Felix spielt [?], [?] und [?].
8. Thomas kann nicht [?].
9. In [?] Minuten ist Pause.

VIDEO

11 **Mache Notizen zu den Personen. Vergleiche mit den Texten auf Seite 12. Welche Informationen sind im Video neu?**

Tanja Kaiser mag Filme ...

12 **Was ist im Zimmer? Lies die Liste und kontrolliere mit dem Video.**

Computer – Klavier – Telefon – Fernseher – Lampe – Poster – Tisch – Stuhl – Fenster – Rucksack – Ball – Gitarre – Sofa – Baseball – Dinosaurier – Weltkarte – Sportschuhe – Fahrrad – Radio

13 **In der Schule – Bringe die Räume in die richtige Reihenfolge.**

Klassenzimmer – Sportplatz – Pausenhof – Biologieraum – Hausmeister

14 **Die Karten aus dem Video.**
a **Was sagt Tanja? Schreibt einen Text.**
b **Schreibt Karten über euch und eure Schule.**

Meine Hobbys
Mathe, Englisch,
Bio, Deutsch

Meine Schule
1156 Schülerinnen und Schüler
74 Lehrerinnen und Lehrer

Das bin ich
Tanja Kaiser
Max Planck Gymnasium
Klasse 7 a

15 Wie bitte?

 16 Murmelmurmel – Höre zu. Welche Sätze hörst du? Notiere die Zahlen.

Wau! Wau!

hm hm hm

1. Wie heißt du?
2. Woher kommst du?
3. Tschüs, Peter.
4. Kannst du Gitarre spielen?
5. Ich komme aus Italien.

6. Das ist ein Radiergummi.
7. Ist das ein Computer?
8. Guten Abend, Herr Schmidt.
9. Es ist Viertel vor neun.
10. Das ist Michael Schumacher.

 17 Lange und kurze Vokale – Lest die Wörter laut. Ein Wort in jeder Reihe passt nicht.

1. Fußball	Judo	Schwimmen
2. Berlin	Kassel	Wien
3. schön	stopp	gern
4. sechs	sieben	vier
5. Fach	Kurs	Schule
6. Heft	Brot	Buch
7. Italien	Finnland	Russland

„Schwimmen" passt nicht.
Das „i" ist kurz.

LERNEN MIT SYSTEM

18 Fitnesstraining Deutsch – Sich konzentrieren und Pausen machen.

Tagesplan Boris:

17.00	Deutsch
17.20	Pause
17.25	Mathe
17.40	Pause
17.50	Englisch
18.10	Pause
...	

± 2 Stunden   ± 25 Minuten

Wochenplan Rudi		Wochenplan Boris	
Mo	–	Mo	25 Min.
Di	–	Di	25 Min.
Mi	–	Mi	25 Min.
Do	2 Std.	Do	20 Min.
Fr	–	Fr	25 Min.

19 Lernkarten helfen beim Lernen

1. Artikel/Plural/Übersetzung

Hund

der / -e
dog

2. Verbformen

Wie _____ du? heißen

heißt

3. Sätze

Ich heiße Mario.

My name's Mario.

4. Dialoge

Woher ...?

Aus ...

Tiere und Leute

1 **Wie heißt das Tier? Ordne a–h den Bildern zu.**

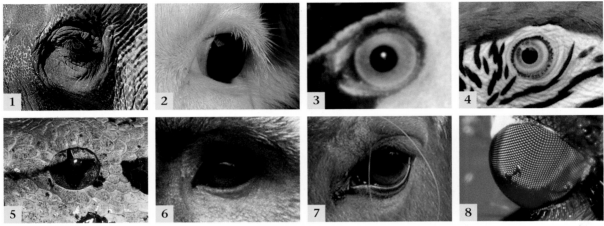

a) die Fliege b) der Affe c) die Schlange d) der Elefant e) die Kuh f) der Papagei g) der Pinguin h) das Pferd

2 **Höre zu. Was ist das?**

Das ist ein Vogel. Ein ...

Das ist eine ...

3 **Lieblingstiere – Sprecht in der Klasse.**

Ich mag ...

Ich mag keine ...

Mein Bruder mag Pferde.

Meine Schwester mag keine ...

Meine Eltern mögen ...

4 **Katharina und Atze, Tanja und Dr. Jones, Timo und Kurti – Ordne die Bilder den Texten auf Seite 37 zu.**

a

b

c

1. Atze ist fünf. Er ist wild, aber lieb. Und ganz schwarz. Katharina wohnt in Ronshausen. Sie geht in Klasse 3. Sie sagt: „Atze läuft gern. Und er hasst Katzen."

2. Tanja liebt Dr. Jones. Er ist ein Pony. Paula ist die Schwester von Tanja. Sie mag Ponys auch. Aber ihr Vater sagt: „Zwei Mädchen und zwei Ponys, das geht nicht. Das kostet zu viel."

3. Timo hat Kurti schon zwei Jahre. Kurti ist gelb und singt manchmal. Alle mögen Kurti. Timos Mutter sagt: „Kanarienvögel sind lieb, aber sie machen viel Arbeit."

5 **Ein Quiz – Wer ist das?**

1. Er läuft gern.
2. Er ist bunt.
3. Sie geht in Klasse 3.
4. Sie liebt Dr. Jones.
5. Sie ist die Schwester von Paula.
6. Er ist wild, aber lieb.
7. Er ist gelb.
8. Er ist grau.

Das ist ...

rot
blau
grau
grün
gelb
weiß schwarz
bunt
braun

6 **Projekt „Tiere" – Bilder und Texte. Macht ein Plakat in der Klasse.**

Das ist meine Katze.
Sie heißt Babsie.
Sie ist sehr lieb.
Sie ist weiß.
Sie ist fünf Jahre alt.
Sie mag Hunde und Mäuse.
?

7 **Wo ist Bora? – Sieh die Bilder an und höre zu. Was passiert?**

39

Boora!

REVIER

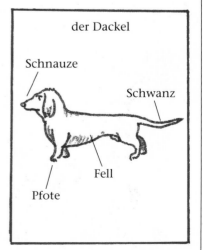

der Dackel

Schnauze

Schwanz

Fell

Pfote

Ich suche meinen Hund

8 Lies und höre den Text.

Es ist halb zwei. Klaus kommt aus der Schule. Sein Hund bellt nicht.
„Bora, B-o-r-a", ruft Klaus. Keine Antwort. Oje. Bora ist weg.
Klaus wählt 110.
- ● Kommissar Wallander.
- ○ Hallo, Herr Kommissar: Bora ist weg!
- ● Wie bitte? Was? Wer ist Bora?
- ○ Das ist mein Hund, mein Dackel, meine Bora!!
- ● Ach so! Wie heißt du? Wo wohnst du?
- ○ Ich heiße Klaus Waldmann. Ich wohne im Vogelweg 7.
- ● Und wie sieht deine Bora aus?
- ○ Sie ist grau. Ihr Halsband ist rot. Was kann ich denn machen, Herr Kommissar?
- ● Mach du deine Hausaufgaben. Wir suchen deinen Dackel.

9 SOS-Strategie – Formen sammeln, ordnen und systematisieren
a Sammeln und ordnen – Macht eine Liste.

der Hund	sein Hund	ihr Hund

b Systematisieren – *mein/meine* und *der/das/die*. Was fällt dir auf?

	Singular: *der/das*	Femininum: *die* / Plural: *die*
	der Hund / das Pony	die Katze / die Hunde, die Ponys, die Katzen
ich	mein Hund / Pony	meine Katze / Hunde, Ponys, Katzen
du	dein	deine
er/es	sein	seine
sie	ihr	ihre

Frau Meier, ist das Ihr Hund?!

10 Ergänze die Sätze. Die Tabelle in 11 hilft.

ich	Wo ist m… Katze? Ich suche sie schon über eine Stunde.
du	Ist das d… Hund? Der ist sehr schön!
er	Das ist Peter. S… Mutter arbeitet hier in der Schule.
es	Das Pferd ist schön. S… Fell ist braun.
sie	Tanja und i… Pony Dr. Jones sind immer zusammen.

11 Akkusativ von *ein, kein, mein* ... – Ergänze den Lerntipp.

Nominativ		Akkusativ			
der/(k)ein/mein	Hund	Ich mag	den Hund	(k)einen ... /	meinen ...
das/(k)ein/mein	Pony		das Pony		
die/(k)eine/meine	Katze		die Katze		
die/keine/meine	Katzen		Katzen		

Den Akkusativ kann man sich leicht merken: die Endung im Maskulinum ist ...   Lerntipp

12 Verben mit Akkusativ – Schreibt Lernkarten mit diesen Verben.

Verben mit Akkusativ aus den Einheiten 1–6:

fahren – finden – haben – hassen – hören – kennen –
lernen – lesen – mögen – rufen – schreiben – singen –
suchen

> suchen (A)
> Ich suche mein..
> Hund.

> meinen

13 Sprecht über eure Tiere.

> Ich habe einen Kanarienvogel.

> Ist er grün oder blau? Wie alt ist ...

> Wie groß ist dein Hund?

> So groß.

> Hast du auch einen/eine ...?

> Ja. / Nein, ich habe ...

> Wie heißt ...

14 Ein Spiel – Macht eine Tabelle mit Tiernamen wie im Beispiel.

	A der	B das	C die
1	der Pinguin	das Pferd	die Kuh
2	der Papagei	das Pony	die Ratte
3	der Hund	das Krokodil	die Fliege
4	der Elefant	das Känguru	die Katze

> Hast du einen Tiger in A1?

> Nein. Hast du eine Fliege in C3?

> Ja.

15 Teste deine Grammatik – Arbeitet zu zweit.

1. Hallo, … Name ist Rudolf. 2. Ich habe … Ratte. 3. M… Ratte mag Schokolade.
4. … Freundin mag k… Schokolade. 5. Sie ist … Bücherratte. 6. Sie mag Deutschbücher und Englischbücher, aber sie lernt k… Wörter. 7. Und sie mag m… Deutschlehrer, aber s… Katze mag sie nicht.

16 Ein Würfelspiel – Beginne deine Sätze mit dem passenden Satzanfang.

Ich suche meinen Pinguin.

1. Das ist …	ein..	der Deutschlehrer
2. Hast du …?	kein..	der Füller
3. Ich suche …	mein..	der Pinguin
4. Suchst du …?	dein..	das Deutschbuch
5. Ich habe …	sein..	das Pony
6. Wo finde ich …?	ihr..	die Brille
		die Mathelehrerin

17 Bora ist weg – Die Geschichte geht weiter. Was ist das Problem?

Wir müssen draußen bleiben!

3 kg Wurst 43 €
20 Steaks 105 €
148 €

Zwei Stunden später

Klaus Waldmann? Hier ist Kommissar Wallander. Ich glaube, wir haben Bora. Der Hund ist klein, grau und sein Halsband ist rot. Du kannst deinen Dackel abholen. Aber es gibt ein Problem …

Tierisch gut!

18 Die Deutschen und ihre Hunde

Seht die Fotos an. Was ist das? Sucht die Antworten im Text.

Ein chinesischer Student in Deutschland schreibt über Hunde:

Hunde und Katzen sind in Deutschland sehr populär. Viele Erwachsene und auch viele Kinder haben einen Hund. Es gibt in Deutschland über vier Millionen Hunde. Beliebte Hunde sind der Pudel, der Deutsche Schäferhund und auch der Dackel. Die Hunde heißen oft Bello, Schnuffi, aber auch Maxi, Sarah oder Paula. Für Hunde kann man in Deutschland alles kaufen: Hundefutter, Hundekleider, Hundespielzeug. Es gibt sogar Hundefrisöre! Die Deutschen lieben ihre Hunde, aber es gibt auch Probleme. Wo kann der Hund auf die Toilette?

Hast du Zeit?

1 Fragt und sucht die Informationen in den Texten.

Wann beginnt ...?
Ist am Samstag ...?
Wann ist der/das/die ... geschlossen/geöffnet?

Hat ... Telefon?
Kann man am Sonntag ...?
Wann kann man ...?

DAS NEUE CAPITOL KASSEL
17:30 Uhr Dinosaurier
Kino 4   29. 11.

Das Netz

Internetcafé
Haus der Jugend
Berliner Straße 23
Öffnungszeiten
MO–FR: 12–21 Uhr
Infos unter 6 57 39 48

NACHTFLUGSHOW

30 Jahre ✈ FSM '69
17. Flugtag
1. und 2. Sept.
Beginn:
13.30 Uhr   Am Siebenstern

Jugendbücherei

Öffnungszeiten

Mo - Do: 13⁰⁰ - 18⁰⁰
Freitag: 9⁰⁰ - 13⁰⁰

1890 Edingen   TV ⓔ

BALL
des Turnvereins

Samstag, 13. Jan.   20.00 Uhr
in den Räumen der Pestalozzihalle

Zum Tanz spielt
DIE HIT-FABRIK

Auf Ihren Besuch freut sich der TV ⓔ
Kartenvorverkauf:
bei Schreibwaren Rudolf und Abendkasse

Großer Trödelmarkt
Mannheim
Multihalle
im Herzogenriedpark
Mi. 27. Dez.
+ Do. 28. Dez.
10 - 17 Uhr Org. 07251/63394

2 Eine Verabredung – Sieh die Bilder an. Was sagen Tom und Elke?

Die Clique!
FR. 7. 8.   20 UHR
SCHLOSSPARK
OPEN AIR

3 Einen Dialog hören – Was verstehst du? Mache Notizen.

41

4 Dialoggrafik – Vergleicht den Dialog und die Grafik. Übt den Dialog.

- ● Hallo, Tom, hier ist Elke.
- ○ Hallo, Elke.
- ● Hast du heute Abend Zeit?
- ○ Ja, warum?
- ● Prima! Gehst du mit ins Konzert?
  Die Clique spielt.
- ○ Klar! Wann denn?
- ● Das Konzert fängt um 20 Uhr an.
  Ich hole dich um 19 Uhr ab. O.k.?
- ○ Prima, bis später.
- ● Tschüs.

```
Hallo ...  ⟶
                      Hallo ...
   Zeit?  ⟵
                 ⟶  +/?
Konzert?/Clique  ⟵
                 ⟶  + /Zeit?
   20 Uhr  ⟵
                      +
      ...  ⟵
```

5 Dialogbaukasten „Verabredungen" – Lest die Beispiele und übt Minidialoge.

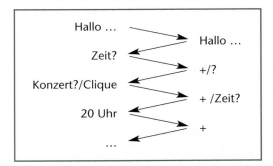

Wohin?

Kommst du mit?

Kommt ihr mit in den Zoo?

Wir haben keine Zeit.

Gehst du mit ins Kino?

Ja, prima!

Ich weiß noch nicht.

der	das	die	—
in den Park	ins Kino	in die Disco	schwimmen
in den Zoo	ins Museum	in die Schule	Tennis spielen
...	ins Konzert	in die Bibliothek	skaten
...	...	...	...

(+)	(+/–)	(–)
Klar!	Mal sehen.	Schade, das geht nicht.
Prima!	Ich weiß noch nicht.	Da kann ich nicht.
Das geht.	Vielleicht.	Ich habe keine Zeit/Lust.
		Leider nein, ich ...

6 Übt mit den Dialoggrafiken.

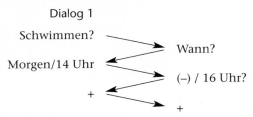

Dialog 1

```
Schwimmen?  ⟶
                   Wann?
Morgen/14 Uhr  ⟵
               ⟶  (–) / 16 Uhr?
      +  ⟵
               ⟶  +
```

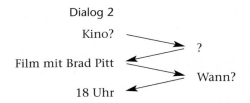

Dialog 2

```
Kino?  ⟶
               ?
Film mit Brad Pitt  ⟵
                    ⟶  Wann?
      18 Uhr  ⟵
```

Wochenpläne

7 Verabredungen üben – Macht einen Wochenplan wie Karin.

Juni

3 Montag	14–16 Uhr Handballtraining
	18 Uhr Klavier
4 Dienstag	14 Uhr Nachhilfe Mathe
	15 Uhr Sabine (Kaffee)
5 Mittwoch	!!!! Donnerstag Test in Mathe!!!
	20 Uhr Fernsehen: Fußballspiel
6 Donnerstag	15 bis 17 Uhr: Handballtraining
	18.30: Kino mit Barbara
7 Freitag	15–16 Uhr 30: Skaten mit Benni
	18 Uhr: Gitarre
8 Samstag	15 Uhr: Schwimmen
	17 Uhr: Party (Geburtstag Jenny)
9 Sonntag	

Ich kann nicht. Ich muss für den Mathe-test lernen.

Kommst du am Dienstag um zwei mit ins Kino?

8 Sprachlupe

42

a Höre die Verben und achte auf den Wortakzent.

mit|gehen – an|fangen – ab|holen – auf|hören – an|rufen

b Lest den Dialog.

- ● Gehst du mit ins Konzert?
- ○ Wann fängt es an?
- ● Um 8. Ich hole dich ab.
- ○ Wann hört es auf?
- ● Um 11.
- ○ Vielleicht. Ich rufe um 5 an.

9 Sammelt trennbare Verben. Was passiert hier?

ab|holen   Ich |hole> dich <ab|.

Ich passe auf!

10 **Trennbare Verben üben – Schreibe die Sätze und lies vor.**

1. mitgehen – du – ins Museum?
2. abholen – Ich – meinen Hund – jetzt
3. anfangen – Wann – der Film?
4. anrufen – Mein Vater – um 16 Uhr
5. aufhören – Der Unterricht – um 13 Uhr 30

11 **Was macht Boris? – Lies die Sätze. Höre zu, mache Notizen und lies vor.**

1. Boris wacht um 7 Uhr / 16 Uhr / 6 Uhr auf.
2. Boris macht das Radio / den Fernseher / den CD-Spieler an.
3. Er hört seine Lieblingsmusik / sieht fern / übt Gitarre.
4. Um 8 Uhr ist er im Park / in der Schule / in der Stadt.
5. In der Pause schreibt er seine Matheaufgaben / die Tafel / seine Hausaufgaben ab.
6. Um 12 Uhr / 3 Uhr / 13 Uhr hört der Unterricht auf.
7. Boris fährt mit dem Bus/Fahrrad/Auto nach Hause.
8. Er holt seine Mutter / seinen Vater / seine Schwester ab.
9. Er ruft seine Lehrerin / seine Freunde / seine Freundin an.
10. Am Abend sieht er oft fern / macht er oft Musik / spielt er oft Tennis.

1. *7 Uhr*

12 **Fragen in der Klasse.**

Stehst du auch jeden Morgen um 6 Uhr auf?

Machst du auch ...

13 **Lehrer/Schüler: Wer macht was? Schreibe auf und lies vor.**

Die Lehrerin liest den Text vor.
Petra schreibt die Hausaufgabe ab.

Trennbare Verben

vorlesen – aufmachen – anschreiben –
aufschlagen – vorspielen – zumachen –
abschreiben – zuschlagen – nachschlagen

Nomen

den Dialog – die Regel – die Tür –
das Buch – die Wörter – die Kassette –
den Satz – die Hausaufgaben – das Fenster

Ein Missverständnis

14 Sieh die Bilder an. Was passiert hier?

15 Lies den Text. Was ist das Missverständnis?

Sabine mag Peter und Peter mag Sabine, aber sie hatten noch keine Verabredung. Heute ruft Sabine Peter an. Sie will mit Peter einen Spaziergang machen. Peter ist sehr froh und zieht seine Jeans und seine Lederjacke an. Er kauft Rosen für Sabine und dann nimmt er den Bus und fährt zur Bank. Auch Sabine ist glücklich. Sie trägt ihr Super-Minikleid, sie macht ihre Lippen rot und fährt mit dem Fahrrad zur Bank. Es ist gleich 3 Uhr. Peter wartet auf Sabine, aber sie kommt nicht. Sabine wartet auf Peter, aber er kommt nicht. Beide sind unglücklich. Es ist schon halb vier. Jetzt regnet es und beide sind nass und sehr wütend!! So ein Mist! Was ist los? Wo ist Peter? Wo ist Sabine?

16 Anrufbeantworter – Lies den Terminkalender in 7. Höre zu und mache Notizen.

Erika / Sonntag drei Uhr / Zoo?

17 Minidialoge – Ordne 1–6 den Nachrichten auf dem Anrufbeantworter zu.

1. Da kann ich nicht, aber Sonntag ist o.k.
2. Ich habe keine Zeit. Ich lerne für den Mathetest. Und Brad Pitt mag ich nicht.
3. Ich glaube, das geht nicht. Jenny macht eine Party.
4. Tut mir leid, ich mache eine Diät und ich muss Klavier üben.
5. Klar, kein Problem.
6. Alles klar, ich komme! Aber nur eine Stunde.

18 **Satzbaukasten „Verneinung" – Was fällt dir auf? Ergänze die Regel.**

Ich kann nicht	Ich mag k…	Ich habe k…	Er ist k…
kommen	keine Pizza	keine Lust	kein Lehrer
schwimmen	keine Tiere	keine Zeit	kein Schüler
Rad fahren	keine Musik	kein Geld	kein Sänger
ins Konzert gehen	keinen Sport	keinen Fußball	kein Hund
…	…	…	…

So funktioniert die Verneinung: Verb + … und … + Nomen.

19 **Boris, der Nein-Typ – Schreibt Texte wie im Beispiel. Die Stichwörter helfen euch.**

Ich mag keine Tiere und ich gehe auch nicht ins Kino.
Fußball spiele ich nicht und ich habe auch kein Fahrrad.

Pizza – schwimmen – Gitarre spielen – Computer – ins Museum gehen – Hund – ins Konzert gehen – singen – Wörter lernen – um 6 Uhr aufstehen – Katzen …

20 **Keine Zeit, keine Zeit – Hört zu und singt mit.**

Am Montag spiel ich Fußball, da hab ich keine Zeit.
Am Dienstag geh ich schwimmen, es tut mir schrecklich leid.
Am Mittwoch muss ich lernen für den blöden Test.
Am Donnerstag, da feier ich, mein Freund, der macht ein Fest.

Am Freitag geht es wieder nicht:
Da hab ich Nachhilfeunterricht!
Am Wochenende hab ich frei.
Kommst du dann vorbei?

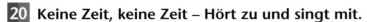

Meine Freizeit

1 Freizeit und Hobbys – Was kennt ihr auf Deutsch?

***　　faulenzen　　***　　das Schwimmbad　　***　　Musik hören　　***　　das Stadion　　***

1 = Roller fahren
2 = ...

Die Tiere im Safaripark

2 Geräusche und Dialoge – Was hört ihr? Was ist das? Macht eine Liste.

Medien		Sport Tennis		Musik		...							

3 Was findest du gut? Was kannst du gut?

Tennis finde ich gut.

Ich kann gut schwimmen.

4 Nomen und Verben – Was passt zusammen?

einen Brief – Fußball – Gitarre – Musik – ein Buch – ins Kino – Skateboard – in den Zoo

hören – fahren – spielen – schreiben – gehen – lesen

einen Brief schreiben
einen Brief lesen

fernsehen *** **malen** *** **Filme sehen** *** **joggen** *** **Tennis spielen** ***

Karten spielen *** Safaripark *** Musik machen

** **Roller fahren** *** **lesen** *** **Computer spielen** *** **basteln** *** **kochen** ***

5 Was machst du wann? Schreibe Sätze und lies vor.

Am Wochenende …	gehe	ich	schwimmen/wandern …
In den Ferien …	spiele	ich	Tennis/Basketball …
Am Nachmittag …	treffe	ich	ins Kino / in den Zoo …
Um 9 Uhr …	fahre	ich	Rad/Roller …
Am Sonntagmorgen …	schwimme	ich.	
Heute	lese	ich.	

Am Nachmittag treffe ich manchmal meine Freunde.

Am Sonntag spiele ich oft Fußball.

6 Sprachlupe – Verben im Satz. Was fehlt hier? Bildet Sätze wie in Beispiel 1 und 2.

Position 1   Position 2

1. Ich   _____ am Wochenende   Fußball.
2. Am Wochenende   _____ ich   Fußball.

7 Ein Interview in der Klasse – Fragt euren Lehrer / eure Lehrerin.

Was machen Sie gerne?

1. Lesen Sie gerne Bücher?
2. Fahren Sie oft Rad?
3. Sprechen Sie gern Englisch?
4. Essen Sie gerne Pizza?
5. Sammeln Sie Briefmarken?
6. Machen Sie Sport?
7. Gehen Sie ins Kino?
8. Lieben Sie Musik?
9. Laufen Sie gerne?
10. …

8 Und du? – Schreibe fünf Fragen. Was fällt dir auf?

Was machst **du** gerne?

… du gerne Bücher? – … du oft Comics – … du Sport? – … du oft Rad? – … du ins Kino? –
… du Englisch? – … du Musik? – … du gerne Pizza? – … du gerne? – … du Briefe?

lernst – machst – liest – isst – gehst – hörst – fährst – kochst – schreibst

9 Interviews – Fragt in der Klasse.

Liest du gerne Bücher?   Nein, aber Comics.

Regelmäßige und unregelmäßige Verben

10 Sprachlupe – Vergleicht die Verben im Kasten. Wo ändert sich etwas?

	regelmäßig	unregelmäßig	laufen lachen
	gehen	lesen	schreiben
ich	gehe	lese	
du	gehst	liest	sein sehen
er/es/sie	geht	liest	aufstehen einladen
wir	gehen	lesen	
ihr	geht	lest	abholen schwimmen
sie	gehen	lesen	haben

11 Schlagt die anderen Verben in der Wortliste nach. Schreibt Lernkarten.

laufen

ich laufe
er läuft
Sie läuft nach Hause.

12 Ein Spiel mit Verben – Schreibt Verben und Nomen auf Karten.
Fragt in der Klasse.

Spielst du Gitarre?

Nein, ich kann nicht Gitarre spielen. Aber ich fahre Rad.

Liest du Zeitung?

...

Gitarre spielen

Rad fahren

Zeitung lesen

13 Lernplakat – Verben und Aussprache

49

läufst du
liest du
spielst du
schwimmst du

Unsere Hobbys

14 Bilder und Texte – Vergleicht. Was gehört zusammen?

Ich bin in einem Club für Modelleisenbahnen. Wir haben alle ein Hobby: Lokomotiven und Züge. Alle bauen zusammen die Anlage. In der Weihnachtszeit zeigen wir dann die Anlage. Das finde ich immer am besten.

1

2

3

Ich heiße Corinna und bin 12 Jahre alt. Ich spiele gerne Flöte im Spielmannszug. Aber zu Hause höre ich lieber Rap oder die Backstreet Boys.

Ich bin Oliver. Mein Hobby ist die Feuerwehr. Das finde ich besser als Computerspiele oder Fußball. Das machen alle. Schwimmen finde ich auch gut, aber nur im Sommer.

15 Sprachlupe – Vergleiche mit *gut* und *gern*.

am besten

besser

gut

am liebsten

lieber

gern

Meine Mathenote ist besser als deine.

Streber!

Aber meine ist am besten!

16 Was magst du lieber? Fragt in der Klasse.

Frage

mögen + lieber
finden + besser

Antwort

Ich trinke/esse/spiele lieber ... als ...
... ist/schmeckt / finde ich besser als ...

Was magst du lieber:
Cola oder Wasser?

Ich trinke lieber Cola als Wasser.

Was findest du besser:
Ferrari oder Mercedes?

Ferrari ist besser als ...

Kakao ↔ Tee
Physik ↔ Geschichte
Morgen ↔ Abend
...

Steak ↔ Pizza
Samstag ↔ Montag
Katzen ↔ Hunde

Tennis ↔ Handball
Ferrari ↔ Mercedes
Mathe ↔ Sport

17 Was findet ihr am besten, was habt ihr am liebsten:
Welchen Film, *welches* Auto, *welche* Musik?
Schreibt sechs Fragen. Fragt in der Klasse.

100 kg geteilt durch drei!!
Teamwork ist am besten!

Was isst du am liebsten?

der Film — Welchen Film siehst du am liebsten?
der Comic — Welchen Comic findest du am besten?
das Fach — Welches Fach hast du am liebsten?
das Auto — Welches Auto findest du am besten?
die Sportart — Welche Sportart machst du am liebsten?
die Musik — Welche Musik findest du am besten?
...

Familien

1 **Familienfotos – Welche Wörter kennst du?**

> Meine Familie, das sind ...

Großeltern
Großmutter/Oma,
Großvater/Opa

Eltern
Mutter, Vater
Frau, Mann

Kinder
Tochter, Sohn
Enkel, Enkelin

Geschwister
Schwester, Bruder

Verwandte
Tante, Onkel
Cousine, Cousin

50

2 **Wer ist wer? – Lies und höre die Texte. Ordne zu.**

links   **hinten**
in der Mitte   rechts
vorne

> Nr. 1 ist Tante Inge.

Das ist meine Familie

a Vorne rechts sitzt mein Vater, er heißt Harald. Mein Papa ist Koch und er macht super Bratwürste und Steaks. Der Junge ist mein Cousin Felix.

b Meine Mutter heißt Brigitte. Sie arbeitet als Grafikerin. Sie sitzt vorne ganz links. Neben ihr sitzt Tante Andrea, ihre Schwester. Ihr Mann heißt Toby.

c Der Junge vorne in der Mitte, das ist mein Bruder. Er heißt Oliver, aber wir nennen ihn alle Olli. Meine Cousine Sibylle steht hinter Olli.

d Meinen Großvater und meine Großmutter siehst du hinten rechts. Sie heißen Richard und Luise. Opa ist 69 Jahre alt und meine Oma ist 70. Links neben Oma steht Edelgard. Das ist die Schwester von Oma. Sie ist 55. Links daneben steht ihr Freund, Herr Dahlmann.

e Hinten links steht meine Tante Inge und ihr Mann Hans-Peter steht hinten rechts. Das Baby im Arm von Onkel Toby bin ich. Ich war da sechs Monate alt. Das war meine Taufe.

f Es gibt noch mehr Fotos. Das hier ist die Familie von Caner. Er ist mein Freund. Seine Eltern kommen aus der Türkei. Caner hat eine Schwester. Seda ist vier Jahre alt und mein Freund ist 13.

g Das Foto hier zeigt meine Tante Anne und ihre Tochter Nadine. Sie ist gerade 1 Jahr alt. Tante Anne und Nadine wohnen in Rostock und können immer ans Meer fahren. Toll!

---

3 **Was sagt Lara? – Ordne die Sätze.**

1. Meine Cousine …
2. Mein Großvater …
3. Mein Vater …
4. Mein Freund Caner …
5. Oliver …
6. Meine Mutter …
7. Meine Tante Anne …
8. Oma und Opa …

a) … wohnt in Rostock.
b) … ist mein Bruder.
c) … heißt Sibylle.
d) … ist 69 Jahre alt.
e) … heißen Richard und Luise.
f) … hat eine Schwester.
g) … arbeitet als Grafikerin.
h) … macht super Steaks.

Meine Cousine heißt Sibylle.

---

4 **Projekt *Meine Familie und ich* – Bringt Familienfotos mit.**

Ich heiße …
Ich bin … Jahre alt.
Ich habe   einen Bruder / … Brüder.
           eine Schwester / … Schwestern.
           keine Geschwister.
Das ist   unser Haus.
           unser Auto.

Mein Vater heißt …
Wir wohnen in …
Meine Großeltern sind …

Vorne links, das ist …

Possessivartikel im Plural

5 **Das kennst du schon – Wiederhole die Possessivartikel im Singular.**

Ist das dein Onkel?

Nein, das ist mein Vater.

6 **Das ist neu – Possessivartikel im Plural.**

Hier ist unser Haus. Wie sieht euer Haus aus?

Das Foto zeigt unsere Nachbarn. Ihr Name ist Sander.

Das sind unsere Hunde. Sie heißen Max und Moritz.

	Das ist ...	Das ist ...	Das sind ...
wir	... unser Hund/Kaninchen.	... unsere Katze.	unsere Katzen/Hunde/Kaninchen.
ihr	... euer Hund/Kaninchen.	... eure Katze.	eure Katzen/Hunde/Kaninchen.
sie	... ihr Hund/Kaninchen.	... ihre Katze.	ihre Katzen/Hunde/Kaninchen.

7 **Possessivartikel im Akkusativ – Lies die Tabelle. Wie heißt der Lerntipp?**

Ich suche ... Wir suchen ...	Ich suche ... Wir suchen ...	Ich suche ... Wir suchen ...	Ich suche ... Wir suchen ...
... unseren Hund.	... unser Kaninchen.	... unsere Katze.	... unsere Katzen/Hunde/Kaninchen.
... euren Hund.	... euer Kaninchen.	... eure Katze.	... eure Katzen/Hunde/Kaninchen.
... ihren Hund.	... ihr Kaninchen.	... ihre Katze.	... ihre Katzen/Hunde/Kaninchen.

Lerntipp   Den Akkusativ kann man leicht lernen: Die Endung im Maskulinum (der) ist ...

„Aufstehen!"

8 Fotoroman – Hört zu und lest die Texte.

Aufstehen.

Beeil dich.

Komm zum Frühstück.

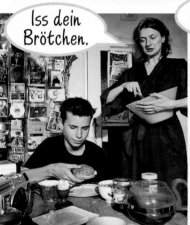

Iss dein Brötchen.

Vergiss dein Pausenbrot nicht.

Mach bitte das Radio aus und schließ die Tür ab.

Hey, Maaamaa.

?

9 Hört zu – Welcher Schluss ist am besten?

52

In der Schule

10 Sprache in der Klasse – Lest die Sätze.

Das sagen Lehrer/innen oft:

Bitte schreib den Satz an die Tafel.
Schlagt bitte das Buch auf.
Bitte lies den Text vor.
Auf Deutsch, bitte.
Sprich bitte lauter.
Noch einmal, bitte.
Sehr gut!

Das sagen Schüler/innen oft:

Bitte wiederholen Sie das.
Das weiß ich nicht.
Hast du einen Kuli / ein Wörterbuch?
Bitte sprechen Sie lauter.
Entschuldigung, das verstehe ich nicht.
Langsamer, bitte.
Erklären Sie das bitte.

11 Sprache in eurer Klasse – Sammelt weitere Sätze.

12 Das sagen Schüler oft – Hört zu und sprecht nach.

13 Imperative – Ordnet die Beispiele aus Aufgabe 10 in eine Tabelle an der Tafel.

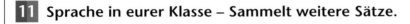

	Sie-Form	du-Form	ihr-Form
schreiben	Schreiben Sie bitte den Satz.	Schreib(e) bitte den Satz.	Schreibt bitte den Satz.
aufschlagen	Schlagen Sie bitte ...		

14 Hört zu. Welcher Satz passt zu welchem Bild?

15 **Was sagen eure Eltern? Sammelt in der Klasse.**

Komm ... Vergiss ... nicht. Iss ... Räum dein Zimmer auf!

16 **Imperative üben – Was passt zusammen? Spielt Minidialoge.**

Komm doch mit in/ins ...	Keine Lust.
Gib mir das Buch.	Ich habe kein Buch.
Hol mich ab.	Ich habe keine Zeit.
Sieh mich an.	Warum?
Räum dein Zimmer auf.	Ich? Wieso ich?
Lies den Text.	Ich kann nicht lesen.
Lach doch mal.	Das kann ich nicht.
...	Gerne.
	Kein Problem.
	...

Komm doch mit ins Kino!

Nein, keine Lust!

Lach mal wieder!

Denk mal wieder!

Schreib mal wieder!

Lern mal wieder!

Sitz, Tasso! Sitz!

Sitz, mein Freund, sitz doch!

Er lernt es nie!

Sie lernt es nie!

1 Tiere beschreiben – Lest vor. Welche Sätze passen zusammen?

Mein Hund heißt Bello.

Er frisst gerne Wurst.

A

1. Mein Hund heißt Bello.
2. Meine Katze ist schwarz.
3. Meine Fische sprechen nicht viel.
4. Unser Kaninchen ist süß.
5. Dein Kanarienvogel singt aber schön.
6. Seine Ratte heißt Turbo.
7. Mein Pony ist 1,65 m groß.
8. Ihre Meerschweinchen sind vier Jahre alt.
9. Euer Hamster ist aber langweilig.

B

i) Er sitzt gerne auf meinem Kopf.
h) Es frisst am liebsten Zucker.
g) Aber sie schwimmen gern.
f) Sie lebt bei der Clique.
e) Sie mag keine Hunde.
d) Sie heißen Cäsar und Cleopatra.
c) Er frisst gerne Wurst.
b) Aber nachts ist er immer aktiv.
a) Sein Fell ist weiß und schwarz.

2 Ein Spiel – Wie heißt das Tier?

Es ist grau.
Es ist sehr groß.
Es lebt in Afrika und in Indien.

Das ist ein Elefant!

Ein Witz

Wau wau

Tja, ich kann Fremdsprachen!

3 *Ist das dein/e ...?* – Spielt zu zweit. Zeichnet drei Gegenstände auf Karten wie im Beispiel und schreibt die Wörter auf die Rückseite.

Ist das dein Computer?

Nein.

Ist das dein Radio?

Nein.

Ist das dein Fernseher?

Genau, das ist mein Fernseher.

4 Ich sehe was, was du nicht siehst ... – Spielt in der Klasse.

Ich sehe was, was du nicht siehst, und das ist weiß ...

Ist das ein Tisch? Nein, kein Tisch.

Ein Heft? Ja, genau.

Noch ein Witz

Müllers sind nicht da. Der Hund ist zu Hause. Das Telefon klingelt, er meldet sich: „Wau!" Der Anrufer fragt: „Wer ist da, bitte?" Der Hund: „WAU – W wie Wilhelm, A wie Anton und U wie Ulrich."

5 Wer macht was wann? – Wähle zwei Bilder aus. Bilde Sätze. Sprecht in der Klasse.

Mo 16

Am Montag um 16 Uhr spielt Petra Gitarre.

6 Wochenplan – Notiere drei Termine für dich. Wähle dann drei Veranstaltungen aus. Verabrede dich mit deinem Nachbarn / deiner Nachbarin. Wann hat er/sie Zeit?

Atlantis 2:
Freitag: 18.00 „Ihr Vater, meine Mutter und ich" – 20.15 „Der Schuh des Manitu" – 22.30 Science-fiction-Nacht: „2001 – Odyssee im Weltraum" + „Star Wars – Episode 3"
Samstag: 18.00 „Der Schuh des Manitu" – 20.15 „Harry Potter und der Stein der Weisen" – 22.30 Rocknacht: „Tommy" + „Woodstock"

Montag
Dienstag 14–16 Fußball
Mittwoch
Donnerstag 17–19 Klavier
Freitag
Samstag 9–12 Skateboard
Sonn

SCHWIMMHALLEN

	GR. HALLE	KL. HALLE
MONTAG	7.30 – 17.00	7.30 – 23.00
DIENSTAG	7.30 – 23.00	7.30 – 23.00
MITTWOCH	7.30 – 23.00	7.30 – 23.00
DONNERSTAG	7.30 – 23.00	7.30 – 23
FREITAG	7.30 – 23.00	7.30
SAMSTAG	7.30 – 23.00	7.30 – 23
SONNTAG	7.30 – 23.00	7.30 – 23

Kommst du am Montag um 14 Uhr mit ins Schwimmbad ...?

Klar, kein Problem.

7 Grammatik wiederholen: trennbare Verben – Ergänze die Sätze.

mitkommen – abfahren – anfangen – aufstehen – abschreiben – anrufen

1. ● ▢ du ▢ ins Kino? ○ Ja, wann denn?
2. ● Ich ▢ dich heute Abend ▢. ○ Gut, ich bin um 19 Uhr zu Hause.
3. ● Du musst ▢, es ist schon 7 Uhr! ○ Was? Ist es schon so spät?
4. ● Wann ▢ der Film heute ▢? ○ Um 16 Uhr. Wir treffen uns um 15 Uhr 30.
5. ● ▢ die Wörter von der Tafel ▢. ○ Nein!! Nicht schon wieder schreiben!
6. ● Beeil dich, der Bus ▢ gleich ▢. ○ Nur kein Stress. Wir haben noch 5 Minuten Zeit.

8 Das Formel-1-Spiel – Bildet Sätze wie im Beispiel. Aber schnell!

Am Wochenende …
Heute Nachmittag …
Am Montag um 9 Uhr …
Am Sonntag …
Morgen …
Am Samstagnachmittag …
…

Am Wochenende gehe ich schwimmen.

Am Montag um …

Am Wochenende

Am Montag um 9 Uhr

9 Was magst du gerne? Wähle vier Themen aus. Bilde einen Satz zu 1–4.

Themen: Sport – Hobbys – Essen – Musik – Schulfächer – Filme – Bücher – Freizeit

1 Gut – besser – am besten
2 Gern – lieber – am liebsten
3 … finde ich besser als …
4 … mag ich lieber als …

Bücher: Ich mag Bücher. Krimis finde ich am besten.
Sport: Basketball spiele ich am liebsten.
Schulfächer: Mathe finde ich besser als Geschichte.
Filme: „Dinosaurier" mag ich lieber als „Toy Story".
…

10 Die Clique

a Lest die Notizen zu Text 1, 2 und 3. Hört zu. Welche Informationen fehlen?

56

b Hört die Texte 4 und 5. Macht Notizen zu den Texten.

c Vergleicht eure Notizen und sprecht über die Personen.

57

AUSSPRACHE

58

11 *Ich oder lachen?*
Hört und notiert die Wörter. Sprecht nach.

Gruppe 1 (ich)	Gruppe 2 (lachen)
ich	lachen

59

12 Wortakzent

a Hört und notiert die Wörter.

Bruder

b Kurz oder lang? Hört noch einmal.
Markiert den Wortakzent.
Lest die Wörter laut.

Br**u**der

60

13 Betonung im Satz. Hört die Sätze.

a Notiert die Wörter mit Betonung.

liebsten, T**u**rbo

b Spielt und sprecht die Sätze.

Ich bin der B**oss**
in der Band.

VIDEO

14 In dem Text sind vier Fehler. Korrigiere mit dem Video.

Lena ist 13 Jahre alt. Sie geht in die Klasse 6c in Passau. Ihr Hund heißt Moritz.
Sie hat vier Hobbys: Schwimmen, Reiten, Lesen, Radfahren.

15 Was sagt Markus? Schreibt und spielt den Dialog. Kontrolliert mit dem Video.

Markus	Monika
● Hallo …	○ Hallo, ich bin es. Seid ihr in der AG?
● …	○ Nein, ich kann nicht, ich habe keine Zeit.
● …	○ Hast du am Wochenende Zeit?
● …	○ Am Sonntag um 11.
● …	○ Ich freu mich auch, tschüs!

16 Das Zimmer von Markus –
Sammelt in der Klasse.

ein Baseball, eine …

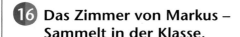

17 Der Ausflugstag – Macht Notizen zu den Stichwörtern.

Tante Bettina – Monika – spazieren gehen am See –
Film-Tour – Asterix – Hamburger

LERNEN MIT SYSTEM

18 **Richtig wiederholen, wiederholen, wiederholen!**
Sprecht über die Grafik. Wie lernt und wiederholt ihr?

Behalten

30 Minuten lernen   15 Minuten wiederholen   15 Minuten wiederholen   Test

Vergessen

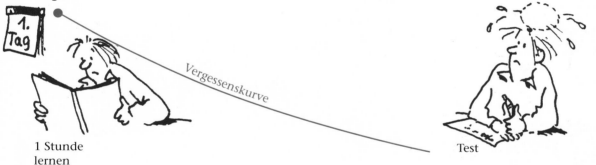

1 Stunde lernen   Test

19 **Zeitprobleme – Was stimmt für dich (+) und was nicht (–)? Lies und notiere.**
Vergleicht in der Klasse. Was ist dein Problem Nr. 1?

Ich habe ~~keine~~ Zeit!

1. Ich telefoniere viel.
2. Jeden Tag zwei Stunden fernsehen ist normal.
3. Ich liebe Computerspiele. Das ist mein Problem.
4. Ich habe sehr viele Hobbys. Das kostet Zeit!
5. Hausaufgaben mache ich oft am Abend.
6. Mein Zimmer ist ein Chaos. Ich suche oft meine Sachen.
7. Ich habe viele Freunde. Sie kommen fast jeden Tag.
8. Ich lerne ohne Plan.
9. Was ist wichtig? Was ist nicht wichtig? Keine Ahnung!
10. Ich kann nicht „Nein" sagen.
11. Ich fange zu spät mit dem Lernen an. Das gibt Stress.

1. +

2. –

Mein Problem Nr. 1 ist ...

Alles Gute!

1 Wünsche und Situationen – Was kennst du? Was passt zusammen?

Frohe Ostern!

Frohe Weihnachten!

Herzlichen Glückwunsch zum Geburtstag!

Viel Glück!

Toi, toi, toi!

Gute Besserung!

Gute Reise!

Guten Appetit!

Alles Gute!

2 **Geburtstag – Lest den Text. Notiert pro Zeile zwei oder drei Stichwörter.
Vergleicht eure Stichwörter.**

In Deutschland, in Österreich und in der Schweiz ist der Geburtstag sehr wichtig. Kinder und Jugendliche feiern diesen Tag jedes Jahr. Sie laden die Familie, ihre Freunde und Bekannten ein. Am Geburtstag bekommt das „Geburtstagskind" viele Geschenke, man isst Kuchen, trinkt Kaffee und viele machen eine Geburtstagsparty mit Geburtstagsspielen oder mit Musik zum Tanzen. Manche Geburtstagskinder feiern mit ihren Gästen auch im Schwimmbad oder sie machen einen Ausflug oder sie gehen zusammen ins Kino.

Deutschland ... / Geburtstag / wichtig

3 **Wann hast du Geburtstag?
Macht einen Geburtstagskalender in der Klasse.**

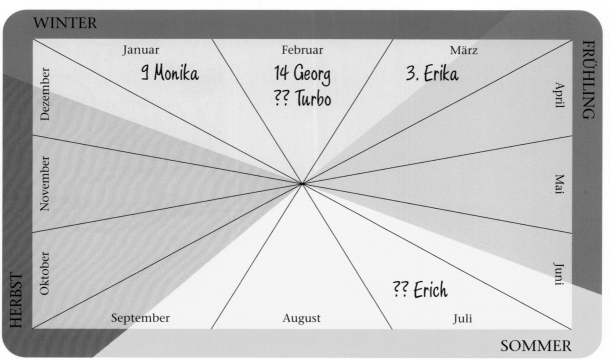

WINTER

Januar — 9 Monika

Februar — 14 Georg / ?? Turbo

März — 3. Erika

Dezember, November, Oktober

FRÜHLING — April, Mai, Juni

HERBST

September, August, Juli

?? Erich

SOMMER

4 **Aussprache – Schreibe die Monate. Höre zu und markiere den Wortakzent.**

Januar, Februar, ...

Zahlen, Termine, Daten

5 Sprachlupe – Datum, Ordinalzahlen. Seht den Kalender auf S. 67 an. Vergleicht.

im Juli
am 9.1.
am 14.2.
am 3. März

> Erich hat im Sommer Geburtstag, im Juli.

> Monika hat am neunten Januar Geburtstag.

> Georg hat am vierzehnten Februar Geburtstag.

> Erika hat am dritten Dritten Geburtstag.

> Wann?

eins	Am	ersten.
zwei		zweiten.
drei		**dritten.**
vier		vierten.
fünf		…
sechs		…
sieben		siebten.
acht		achten.
…		
zwanzig		zwanzigsten.
einundzwanzig		einundzwanzigsten.

Wann …?
am + Tag
im + Monat/Jahreszeit

> Mein Geburtstag ist am 31.2.

6 Geburtstage – Fragt in der Klasse.

Wann hast du Geburtstag?
Wann hat dein Bruder / deine Schwester Geburtstag?
Wer hat im Januar Geburtstag?
Wer hat im Winter Geburtstag?

7 Nicht vergessen! – Was gehört zusammen? Spielt Minidialoge

1. Am 21.8. ist der Geburtstag von Tommy.
2. Am 13. kommt dein Bruder zurück.
3. Am 18. schreiben wir den Mathetest.
4. Am 10. ist die Party.
5. Die Clique spielt im Mai in Hamburg.
6. Die Mathelehrerin kommt am 29. ins Krankenhaus.

a) Wann genau?
b) Und wann kommt sie wieder?
c) Ich kann nicht kommen, ich muss babysitten.
d) Das ist schrecklich. Ich kann nichts!
e) Oje, ich habe noch kein Geschenk.
f) Oje, ich muss unser Zimmer noch aufräumen.

Elke hat Geburtstag

8 **Was ist das Problem von Elke?**

Schreib doch einen Brief.

Ruf Sebastian einfach an.

Frag seinen Freund.

Lade Sebastian doch zum Geburtstag ein.

Was soll ich machen?

9 **Die Einladung – Lest die Fragen und hört zu.**

Wer hat Geburtstag?
Wann ist die Party?
Wer kommt auf die Party?
Was bringt er/sie mit?

10 **Lest den Dialog zu zweit.**

- ● Sebastian Müller.
- ○ Hallo, Sebastian, hier ist Elke.
- ● Hallo, Elke ...?
- ○ Du, ich habe am Samstag Geburtstag und ich mache eine Party. Kommst du?
- ● Klar, wann fängt die Party an?
- ○ Um vier.
- ● Prima. Äh, kann ich etwas mitbringen? Meine Mutter macht einen super Nudelsalat!
- ○ Toll! Ich freue mich.
- ● Ich freue mich auch! Bis Samstag!

11 **Elke lädt Anja ein – Spielt das Gespräch. Die Dialoggrafik hilft.**

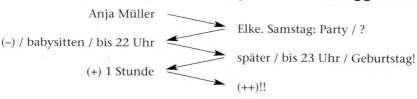

Anja Müller

Elke. Samstag: Party / ?

(–) / babysitten / bis 22 Uhr

später / bis 23 Uhr / Geburtstag!

(+) 1 Stunde

(++)!!

12 Ausreden erfinden – Fragt und antwortet wie im Beispiel.

Ich mache am Samstag eine Party. Kannst du kommen?

Tut mir leid, ich kann nicht kommen, ich muss meinen Hund baden.

Hausaufgaben machen
Zimmer aufräumen
babysitten
für Mathetest lernen
im Bett bleiben (krank)
…

66

13 Du warst nicht auf der Party! Wo warst du gestern? Hört und lest den Dialog.

Hallo, Boris, wo warst du gestern?

Ich war krank. Ich hatte Fieber. Wie war die Party?

Es war super! Am besten war das Essen: Pizza und Pommes! Bist du jetzt wieder o.k.?

Ja, danke, es geht besser!

14 *Und wo warst du gestern?* – Lest die Ausreden und übt zu zweit.

haben
ich hatte
du hattest

sein
ich war
du warst

Gestern **war** ich	Gestern **war** ich	Gestern **war** ich	Gestern **hatte** ich
schwimmen.	nicht zu Hause.	krank.	viele Hausaufgaben.
Fußball spielen.	im Kino.	müde.	keine Zeit/Lust.
einkaufen.	nicht hier.	total kaputt.	Nachhilfe in Mathe.
…	weg.	…	Klavierunterricht.
	…		…

Wo warst du gestern?

Gestern war ich schwimmen.

15 König für einen Tag – Was darf Peter am Geburtstag?

a Ergänzt die Sätze und lest sie vor.

1. Ich darf drei Stunden …

2. Ich darf alle meine Freunde …

3. Meine Mutter kocht mein …

4. Ich darf Pommes, Hamburger, Kuchen …

5. Ich darf bis 11 Uhr abends …

6. Ich darf lange …

7. Ich darf meine Lieblingsmusik ganz laut …

8. Mein Vater ist den ganzen Tag …

einladen – aufbleiben – Lieblingsessen – fernsehen – telefonieren – hören – nett – essen

b Sprecht in der Klasse: Was darfst du auch und was nicht?

16 Sprachlupe – Modalverben: *können, müssen, dürfen*. Zeichne die Satzklammer und schreibe zwei Sätze zu jedem Modalverb.

Ich	kann	gut Gitarre	spielen	.
Du	musst	im Bett	bleiben	.
Erika	darf	im Bett	bleiben	.

17 Interviews zum Thema „Geburtstag" – Hört zu, macht Notizen. Die Fragen helfen.

67

Party:	Ja/Nein?
Zeit:	Wann fängt die Party an? Wann hört sie auf?
Aktivitäten:	Was machen die Jugendlichen?
Essen/Trinken:	Was gibt es zu essen und zu trinken?
Personen:	Wer kommt zur Party?
Geschenke:	Was?

Meine Schule

1 Betrachtet das Bild. Lest die Aussagen. Was gehört zusammen?

a die Cafeteria

b der Chemieraum

c die Toilette

2. Stock

d das Lehrerzimmer

e der Direktor

f das Sekretariat

1. Stock

g der Schulhof

h die Sporthalle

i der Computerraum

Erdgeschoss

1. Hier sitzen die Experten für Bio, Mathe usw.
2. Hier gibt es oft Experimente.
3. Hier kann man sitzen, quatschen, Hausaufgaben machen, Cola trinken und Kuchen essen.
4. Hier müssen die Schüler immer viel rennen und schwitzen.
5. Hier sitzt der Chef oder die Chefin.
6. Hier sind die Schüler manchmal besser als die Lehrer.
7. Hier gibt es Frau Müller, ein Telefon, ein Fax, einen Computer und viele Informationen.

2 Was ist wo? – Höre die Dialoge. Suche die Orte auf Seite 72. Ordne zu.

68

die Treppe hoch
die Treppe runter

1

● Wo ist der Direktor?
○ Die Treppe hoch, im ersten Stock links, neben dem Sekretariat.
  Aber der Direktor ist im Moment …

2

● Entschuldigung, wo ist die Sporthalle?
○ Die Sporthalle ist rechts neben dem Eingang.
● Vielen Dank!
○ He, wo gehst du hin?

3

● Entschuldigung, wo ist die Cafeteria, bitte?
○ Die Cafeteria finden Sie im zweiten Stock ganz hinten links.

4

● Wo … ????
○ Treppe hoch, rechts neben dem Chemieraum.
● Oh, Mann!!!

5

● Guten Morgen, ich suche die Klasse 7a.
○ Die 7a? Keine Ahnung, ich bin
  neu hier. Fragen Sie doch im Sekretariat …
● Danke, aber wo …

3 Lest die Dialoge mit Variationen: andere Orte/Personen, freundlich/
unfreundlich.

Wo ist der Hausmeister?

4 Orientierung in der Schule – Lest die Fragen und Antworten.

Fragen		Antworten
Wo ist	der Hausmeister? das Sekretariat? die Cafeteria?	Der Hausmeister ist im ersten Stock. Das Sekretariat ist neben dem Direktor. Die Cafeteria ist neben dem Chemieraum.
	Geh/Gehen Sie	die Treppe runter/hoch. hier links/rechts/geradeaus.

5 *Wo ist …?* – Seht das Bild auf Seite 72 an. Gruppe A stellt Fragen, Gruppe B antwortet.

- ● Wo ist das Sekretariat?
- ○ Das Sekretariat ist im 1. Stock rechts.

- ● Ist der Computerraum im 1. Stock?
- ○ Nein, der Computerraum ist …

6 Biene besucht eure Schule. Sie hat viele Fragen. Schreibt Fragen und antwortet in der Klasse.

7 Sprachlupe – Präpositionen: *Wo ist Turbo?*

1

2

3

a) hinter den Büchern
b) (rechts) neben dem Computer
c) in der Tasche
d) vor der Schule
e) auf dem Stuhl
f) unter dem Tisch

4

5

6

8 Sprachlupe – Dativ: *neben dem Sekretariat, in der Cafeteria, unter …*
Sammelt Beispiele und ergänzt die Tabelle an der Tafel.

Singular			Plural	
Nominativ	Dativ		Nominativ	Dativ
der	d…	in dem = im (im Sekretariat)	die	d…
das	d…	an dem =		
die	d…			

9 Wo ist/steht/liegt/hängt …? – Schreibt Sätze und lest vor.

die Schachtel

das Keyboard

Die Tasche hängt an der Wand.

Die Bücher liegen auf …

die Coladose

das Saxofon

die Trommel

die Baseballkappe

10 Wo ist was im Klassenzimmer? – Beschreibe. Die anderen korrigieren.

Die Gitarre liegt auf dem Boden.

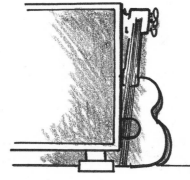

Die Gitarre steht hinter der Tafel.

11 Die Klassenarbeit – Hört und lest die Geschichte.

Welches Problem
hat Herr Schmidt?

„Drrrrring!"
Es ist Montag, Viertel vor sieben. Herr Schmidt
macht den Wecker aus. Er gähnt, kratzt sich am
Kopf und bleibt noch ein bisschen liegen.
5 Auf der Straße beginnt der Tag.
Er steht auf.
In der Küche nimmt er eine Tasse, legt einen Tee-
beutel hinein und setzt Wasser auf.
Neben der Küche ist das Bad. Er stellt
10 sich unter die Dusche: zuerst heiß und
dann kalt. Beim kalten Wasser schreit
Herr Schmidt wie Tarzan. Jetzt ist
er wach.
Er gießt den Tee ein, schaut in den
15 Kühlschrank: leer!
„Heute muss ich einkaufen! Das darf ich nicht
vergessen." Er schreibt einen Zettel: einkaufen!
„Ähm, was ist sonst noch los?" Er schaut in
seinen Stundenplan:
20 8.00 Uhr bis 9.30 Uhr Klasse 6b. 9.30 Klasse 7a
– Klassenarbeit …
„Klassenarbeit? Mensch, da muss ich noch die
Aufgabenblätter kopieren!" Er schreibt wieder
einen Zettel: kopieren!
25 Herr Schmidt zieht sich an, trinkt den letzten Schluck Tee und packt
seine Tasche:
Mathebuch für die 6b, Aufgabenblatt für die Klassenarbeit …
„Wo ist denn das Blatt? Ich hatte das doch hierhin gelegt!"

Wie geht die
Geschichte weiter?
Er findet das Blatt.
Er schreibt die
Arbeit neu. Er …

Aber auf dem Schreibtisch liegt es nicht. Er sucht im Schreibtisch. Er
30 sucht unter dem Schreibtisch – nichts.
Er sucht auch noch hinter dem Schreibtisch und vor dem Regal. Es ist
nicht da.
Herr Schmidt wird nervös. Er rennt in die Küche, sucht auf dem Tisch,
unter dem Tisch, neben der Marmelade, links und rechts vom Kühl-
35 schrank. Kein Aufgabenblatt!
„Oh Gott! Was mache ich nur, schon gleich halb acht! Ich muss los!
Mein Bus!"

Herr Schmidt läuft aus
der Wohnung. Die Bus-
40 haltestelle ist direkt vor
dem Haus. Gerade
kommt die Nummer 54.
Zur Schule sind es sechs
Haltestellen. Herr
45 Schmidt überlegt Aufgaben für die
Klassenarbeit.
Der Bus hält. Leute steigen ein. Der Bus
fährt weiter.
Herr Schmidt überlegt und schreibt
50 einen Zettel.
Der Bus hält wieder.
„Guten Morgen, Herr Schmidt!"

$$\frac{(3/4 - 1/2):(5/6 - 1/3) - 1/2 \cdot 4/5}{2/3 - 4/5 \cdot (5/3 - 7/8)}$$

„Äh, ach Olli! Guten Morgen"
„Schöner Tag heute, Herr Schmidt."
55 „Was? Ja, schöner Tag."
„War wieder ein super Konzert, Herr Schmidt, oder?"
„Äh, ja, aber, Olli, ich muss noch ein bisschen arbeiten, wir sehen uns ja
dann später."
„Entschuldigung, Herr Schmidt. Ich hab da was für Sie."

60 „Bitte? Nicht jetzt, Olli, später."
Olli gibt Herrn Schmidt ein Blatt. Es ist ziemlich schmutzig und verknit-
tert.
„Danke, Olli, aber ich muss jetzt wirklich …"
Herr Schmidt schaut auf das Blatt: die Auf-
65 gaben für die Klassenarbeit!
„Vielen Dank, Olli. Das such ich schon den
ganzen Morgen. Woher hast du das?"
„Vom Konzert am Samstag. Sie waren gerade
weg. Ja und dann war da dieses Blatt auf
70 dem Boden und …"
„Egal. Hauptsache, ich habe es wieder!
Danke, Olli!"
Der Bus hält vor der Schule.
In der Schule geht Herr Schmidt in das
75 Sekretariat.

„Guten Morgen, Frau Kraus! Können
Sie mir das bitte 24-mal kopieren?
Ich brauche es in der dritten Stunde."
„Ah, der neue Kollege. Aber klar doch, mach ich.
80 Ein bisschen schmutzig ist es ja schon …"
„Ja, ich hatte da ein Problem."
Die Sekretärin schaut auf das Blatt und dann zu Herrn Schmidt. Sie wun-
dert sich.

In der dritten Stunde verteilt Herr Schmidt die Aufgabenblätter.
85 „Ihr wisst ja, wir schreiben heute eine Klassenarbeit. Seid ihr gut vorberei-
tet?"
Alle rufen: „Aber sicher, Herr Schmidt!!!"

Was hat Olli für Herrn Schmidt?

Was macht Herr Schmidt im Sekretariat?

Welche Noten bekommen die Schüler?

---

12 Acht Aussagen zur Geschichte – Was passt zu wem?

a) Herr Schmidt b) Der Direktor c) Olli
d) Martin (in Mathe der Beste) e) Der Vater von Susy f) Sabine (in Mathe sehr schlecht)

1. Hallo, Olli, ich bin fertig. Hast du die E-Mail-Adressen von unserer Klasse?
2. Hm, Herr Schmidt, das ist komisch … fast alle eine 1? Nur eine 5 …
3. Hey, was ist denn das? Mann, das ist ja interessant! Ich muss sofort Martin anrufen.
4. So ein Mist, ich war am Wochenende bei meiner Oma.
5. Donnerwetter! Die 7a ist in Mathe super!
6. O.k., Martin, 30 Tafeln Schokolade und die neue CD von Echt!
7. Eine 1 in Mathe! Ich kann es nicht glauben! Olga, komm mal her!
8. Hallo, Susy, ich habe eine gute Nachricht.

Reisen

1 **Sieh die Bilder an und lies die Texte. Was gehört zusammen?**

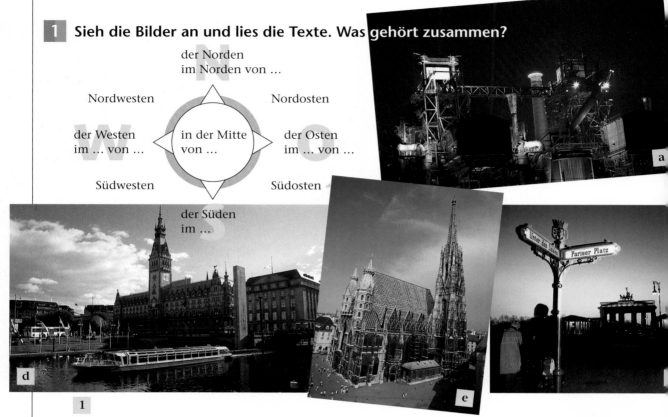

der Norden
im Norden von …

Nordwesten
Nordosten

der Westen
im … von …
in der Mitte
von …
der Osten
im … von …

Südwesten
Südosten

der Süden
im …

1

Rügen ist eine Insel im … von Deutschland. Viele Familien machen hier Urlaub. Man kann dort schwimmen, segeln, Fahrrad fahren usw. Hier scheint oft die Sonne.

2

Die Alpen liegen ganz im … von Deutschland. Es gibt die Alpen aber auch in der Schweiz und in Österreich. Dort kann man im Winter Ski fahren und im Sommer wandern oder auf einen Berg klettern.

3

Die Großstadt Hamburg liegt im … von Deutschland. Hier gibt es einen großen Hafen und die Nordsee ist auch nicht weit. Berühmt sind das Rathaus und der Fischmarkt am Sonntag.

4

Wien liegt im … von Österreich. Das ist die Hauptstadt. Hier gibt es viel zu sehen. Museen, Flohmärkte, den berühmten Stephansdom und den Prater mit dem Riesenrad.

5

Der Bodensee liegt ganz im … von Deutschland. Auch die Schweiz und Österreich liegen am Bodensee. Hier kann man gut Urlaub machen: schwimmen, segeln, wandern, Fahrrad fahren und Ausflüge in die drei Länder machen.

6

Die Hauptstadt von Deutschland ist Berlin. Berlin liegt im … von Deutschland. Hier ist immer viel los: Kino, Theater, Musik und Museen für Erwachsene und Jugendliche. Hier arbeiten die Regierung und das Parlament. Berühmt ist auch das Brandenburger Tor.

7

In Deutschland gibt es viele große Wälder: In der … liegt der Thüringer Wald, im … der Schwarzwald und im … der Bayerische Wald. Hier kann man gut wandern.

8

Die Elbe fließt von Dresden im … nach Hamburg im … und dann in die Nordsee.

9

Die Städte Bochum, Duisburg und Essen liegen im Ruhrgebiet. Das Ruhrgebiet ist ein Industrie- und Gewerbezentrum im … von Deutschland.

2 **Ergänze die Texte: Wo liegt das? Arbeite mit der Landkarte im Buch.**

Hamburg ist eine Großstadt im …

3 **Wo ist was in Deutschland, Österreich, in der Schweiz oder in deinem Land? Arbeitet mit der Landkarte im Buch. Fragt in der Klasse.**

Wo ist der Bayerische Wald?

Im Süden (von Deutschland).

Ein Ausflug

4 **Einen Ausflug planen – Was macht Familie Schröder am Wochenende? Höre zu. Was stimmt? Was stimmt nicht?**

Am Wochenende ist Pfingsten. Das sind drei freie Tage! Familie Schröder (Vater, Mutter, Timo und Simone) plant einen Ausflug. Die Schröders wohnen in Erfurt. Das ist eine Stadt in der Mitte von Deutschland. Wohin können sie fahren?

Do 16.5.
Fr 17.5.
Sa 18.5. Ausflug??
So 19.5. Pfingstsonntag
Mo 20.5. Pfingstmontag
Di 21.5.
Mi 22.5.

Ich möchte (nicht) ...
Willst/Möchtest du ...?
Er/Sie will/möchte (nicht) ...

mit dem Auto
mit dem Fahrrad
mit dem Zug
mit dem Schiff

1. [r] [f] Familie Schröder will einen Ausflug machen.
2. [r] [f] Frau Schröder möchte mit dem Fahrrad fahren.
3. [r] [f] Timo will keine Fahrradtour machen.
4. [r] [f] Alle wollen nach Hannover fahren.
5. [r] [f] Herr Schröder will eine Hafenrundfahrt machen.
6. [r] [f] Frau Schröder will mit dem Zug fahren.
7. [r] [f] Simone möchte lieber mit dem Auto fahren.
8. [r] [f] Familie Schröder will um 7.00 Uhr losfahren.
9. [r] [f] Sie übernachten alle im Hotel.

5 **Vorschläge (!), Zustimmung (+) und Ablehnung (–) üben – Der Dialogbaukasten auf Seite 81 hilft.**

Ich schlage vor, wir fahren ...

Ja, das ...

Nein, das find ich blöd, ich möchte lieber ...

Dialogbaukasten: Einen Ausflug planen

! Vorschläge !	+ Zustimmung +	– Ablehnung –
Ich schlage vor, wir fahren … nach Hamburg / in die Berge / an die Ostsee / ans Meer Ich möchte …	Ja, das finde ich gut. Ich möchte/will auch … Klasse, ich freue mich auf … Gute Idee! Super!	Nein, das finde ich blöd. Das finde ich nicht gut / langweilig. – ! Gegenvorschläge ! – Ich möchte lieber … Können wir nicht nach … fahren? … finde ich viel besser.

6 Jugendherberge – Lest den Text und macht Notizen: Warum ist eine Jugendherberge praktisch? Was kann man dort machen?

Bei Reisen in Deutschland, Österreich oder der Schweiz können Jugendliche in Jugendherbergen übernachten. Das ist nicht so teuer und man findet sie fast in jeder Stadt. In Deutschland gibt es über 600 Jugendherbergen. Viele Jugendherbergen sind in Schlössern oder Burgen. In den Jugendherbergen kann man schlafen und essen. Es gibt auch viele Angebote für die Freizeit: Man kann Sport und Musik machen, es gibt Discos und meistens eine Cafeteria. Auch Schulklassen, Jugendgruppen und Familien können hier übernachten. Informationen gibt es im Internet (http://www.djh.de). Man kann aber auch direkt eine Jugendherberge anrufen.

Jugendherberge Nürnberg: Kaiserburg

7 Vor dem Hören – Timo Schröder ruft die Jugendherberge an. Was kann er fragen? Schreibt drei Fragen auf.

8 Beim Hören – Höre zu, mache Notizen und beantworte die Fragen.

Wie viele Nächte will Familie Schröder bleiben?
Wann kommen sie an, wann fahren sie ab?
Wie viel kostet eine Nacht für die ganze Familie?

9 Nach dem Hören – Hört noch einmal. Ergänzt dann den Text. Schwer? Die Wörter und Zahlen helfen.

18 – 16,50 – Jugendherberge – Nacht – Frühstück – 12.00 – 13.30 – Flipper – Billard – Fußball

Für die Jugendherberge braucht man einen Jugendherbergsausweis. Der kostet … €. Den Ausweis kann man in der … kaufen. Eine … kostet pro Person … Das ist mit … Das Mittagessen gibt es von … bis … Uhr. In der Jugendherberge gibt es einen Raum mit … und … Und neben der Jugendherberge kann man auch Sport machen, z.B. …

Das Wochenende in Hamburg

72

10 Wo war Familie Schröder? Bilder und Dialoge, ordnet zu.

73

11 Imbissbude auf dem Fischmarkt
 a Familie Schröder hat Hunger. Hört zu. Wer nimmt was?

Verkäuferin:	Ja bitte, was möchten Sie?
Vater:	Ich nehme ein Fischbrötchen.
Mutter:	Guck mal, die Krabben, mmmmh!
Simone:	Die sehen aber komisch aus!
Mutter:	Aber die sind lecker und ganz frisch.
Simone:	Nee, ich will nur Pommes.
Timo:	Ich auch, aber ohne Ketchup.
Mutter:	Immer Pommes! Ihr seid langweilig.
Vater:	Also … ein Fischbrötchen, einmal Krabben und zweimal Pommes, bitte.
Verkäuferin:	Möchten Sie auch etwas trinken?
Vater:	Ach ja, zwei Bier, und ihr?
Timo:	Zwei Cola.
Verkäuferin:	Das macht genau 18 € 30.

Antjes Fischbude

Speisen

Fischbrötchen (Hering, Lachs …)	2,90
Krabben (Portion)	4,10
Hamburger	2,40
Pommes frites	1,75

Getränke

Cola/Fanta 0,3	1,80
Mineralwasser 0,3	1,70
Apfelsaft 0,3	1,90
Bier 0,3	2,10

Herr Schröder isst ein …   Frau Schröder nimmt …   Timo trinkt …

b Variiert den Dialog.

Ja, bitte?	Ich nehme …
Was möchten Sie?	Ich möchte …
Was möchtest du / möchtet ihr?	Einen/Ein/Eine …, bitte.
Sonst noch was?	Ja, einen/ein/eine …, bitte.
	Nein, danke.
Das macht dann …	

13

12 Familie Schröder schreibt Postkarten – Wer schreibt was?

Grüße aus Hamburg

1
Lieber Robert,
herzliche Grüße aus Hamburg. Wir haben viel Spaß,
auch die Kinder. Zu Hause erzählen wir mehr.
Bis bald …

2
Hallo, Uschi!
Wir waren ein Wochenende in Hamburg.
Die Krabben – einfach toll!!
Liebe Grüße …

3
Hi, Moni,
Hamburg, voll cool. 3 Stunden Hafen. Klasse!!!
Das Wetter ist auch super! Ich ruf dich an!
Liebe Grüße

4
Hallo, Tommy,
Hamburg ist genial und die Familie ist auch
o.k.! Hier fahren wir mal zusammen hin!
Dein …

13 Familie Schröder in deiner Stadt – Wähle eine Person und schreibe eine Postkarte.

14 Die Clique ist unterwegs – Hört zu und ordnet zu.

a

b

c

d

1. Ich will nicht mehr und ich kann nicht mehr. Meine Füße tun weh.
2. Oh, mir ist schlecht. Wann sind wir endlich da?
3. Mann, ist das toll hier. Ich kann bis nach Italien sehen.
4. HILFFFEEEEE! Wir wollen wieder runter.

15 Spielt die Situationen.

74

Beruf Schülerin – Ein Tag in Simones Leben

1 Lesestrategien

a Express-Strategie. Welche Frage passt am besten zum Text?

1. Was macht Simone am Wochenende?
2. Was macht Simone in der Schule?
3. Was macht Simone jeden Tag?
4. Was macht Simone in der Woche?

Mein Beruf ist Schülerin und mein Tagesablauf ist ganz normal: Ich stehe immer um 6 Uhr 30 auf (natürlich nur von Montag bis Freitag), dann dusche ich mich und frühstücke, packe die Schultasche und gehe in die Schule. Aber eigentlich fängt der Tag für mich erst nach der Schule an.
Wenn ich wieder zu Hause bin, warten noch die Hausaufgaben auf mich. Ich brauche meistens zwei Stunden! Aber ich sage immer: Lieber erst die Hausaufgaben machen und dann Freizeit als umgekehrt.

Nach den Hausaufgaben gehe ich oft zum Kiosk und kaufe mir etwas zum Trinken. Meistens einen „Eistee". Am Kiosk treffe ich mich mit Ilse und Claudia. Das sind meine Freundinnen. Wir spielen oft zusammen Federball oder Karten. Manchmal quatschen wir aber auch nur. Das findet ihr vielleicht nicht so interessant, aber wir haben immer viel Spaß. So um halb sechs gehe ich wieder nach Hause. Um sechs Uhr (pünktlich!) gibt es dann immer Abendessen. Dann kommt mein Vater von der Arbeit und mein Bruder

ist auch da. Das ist für uns die „Familienstunde". Wir essen zusammen und reden ein bisschen. Wir sehen oft zusammen fern und manchmal spielen wir auch etwas. Um neun bin ich immer schon total müde und gehe ins Bett. Manchmal lese ich dann noch ein paar Seiten. In der Woche gehe ich fast nie aus. Am Wochenende gehe ich manchmal auf eine Party oder zu Freunden. Ich muss aber fast immer schon um zehn zu Hause sein. Meistens holt mich dann mein Vater mit dem Auto ab.

b Schnüffel-Strategie. Lest den Text noch einmal. Welche Aussagen sind richtig?

1. Simone steht auf und dann duscht sie sich.
2. Der Tag fängt für sie erst nach der Schule an.
3. Zu Hause warten keine Hausaufgaben auf sie.
4. Am Kiosk trifft sie ihre Freundinnen.
5. Abendessen gibt es immer um 17 Uhr 30.
6. Sie geht immer erst nach 22 Uhr ins Bett.
7. Sie geht von Partys meistens nicht allein nach Hause.

2 Was macht Simone? Lest die Sätze mit den Angaben vor.

immer ——→ meistens ——→ oft ——→ manchmal ——→ nie

1. Sie steht … um 6 Uhr 30 auf.
2. Sie geht am Nachmittag … zum Kiosk.
3. … quatscht sie dort mit Ilse und Claudia.
4. Sie haben … viel Spaß.
5. Die Familie sieht … zusammen fern.
6. Simone geht fast … schon um 9 Uhr ins Bett.
7. … liest sie dann noch ein bisschen.
8. In der Woche geht sie fast … weg.
9. Am Wochenende geht sie … auf eine Party.
10. … holt sie ihr Vater mit dem Auto ab.

Sie steht immer …

3 Eine Fantasiewoche, ein Fantasietag – Schreibt einen Text.

Am Montag fliege ich in die USA.
Am Dienstag gehe ich mit dem
Mathelehrer ins Kino.
Am Mittwoch …

…

7 Uhr: Der Wecker klingelt nicht. Ich
stehe nicht auf!
10 Uhr: Mein Englischlehrer schaltet
den Fernseher ein. Meine Mathelehrerin
bringt das Frühstück. Ich trinke
Orangensaft und esse 2 kg Cornflakes.
12 Uhr 30: …

4 Was macht Turbo? Seht die Bilder an. Hört dann zu, macht Notizen und erzählt.

*Zuerst schläft Turbo, dann wacht er auf.
Dann …*

Pronomen im Akkusativ

5 Personalpronomen. Vergleicht die zwei Listen. Was ist gleich? Was ist anders?

Nominativ	ich	du	er	es	sie	wir	ihr	sie
Akkusativ	mich	dich	ihn	es	sie	uns	euch	sie

6 Pronomen üben – Lest den Satz mit dem richtigen Pronomen vor.

1. „Alles Gute zum Geburtstag, Simone! Das Geschenk ist für **euch/dich/uns**!"
2. Simone: „Für **sie/ihn/uns** alle ist das Abendessen die ‚Familienstunde'!"
3. Herr Schmidt hilft bei der Mathearbeit. Wir mögen **ihn/sie/es** sehr!
4. Simone: „Für **sie/mich/ihn** beginnt der Tag erst nach der Schule."
5. Herr Schmidt: „Ich finde **uns/dich/euch** sehr nett. Ihr seid meine beste Klasse!"
6. Boris, Biene, Cora, Rudi und Turbo: „Alle mögen **sie/uns/mich**".
7. Cora schenkt Boris Schokolade, aber er mag **sie/es/euch** nicht.
8. „Und, wie ist dein neues Handy?" „Ich habe **mich/ihn/es** nicht gekauft, es war zu teuer!"

7 Reflexivpronomen – Schreibt die Personalpronomen im Akkusativ an die Tafel und ordnet die Reflexivpronomen zu. Ergänzt dann den Lerntipp.

sich – euch – mich – sich – dich – sich – uns – sich

Personalpronomen		Reflexivpronomen											
mich		mich											
dich		...											
...													

Lerntipp   Die Reflexivpronomen sind einfach für dich: Die 3. Person ist ...

8 Pronomen üben – Ergänzt die Sätze und Minidialoge.

1. Boris und Turbo kennen ... schon zwei Jahre.
2. ● Wo ist Stefan?
   ○ Ich weiß nicht, aber ich sehe ... heute Nachmittag am Kiosk.
3. ● Wo ist euer Auto?
   ○ Es ist kaputt! Wir kaufen ... jetzt Fahrräder.
4. Tobias freut ... auf seinen Geburtstag.
5. Treffen wir ... um 14 Uhr vor dem Kino?
6. Herr Schmidt ärgert ... über die Mathearbeit.
7. Wir freuen ... auf die Ferien!

Berufe

9 Welche Berufe kennt ihr? Sucht im Buch und sammelt an der Tafel. Zu schwer? Die Sätze unten helfen.

1: K... – 2: H... – 3: S... – 4: D... – 5: B... – 6: L... – 7: F... – 8: K... – 9: G...

Der K... sucht Bora. In jeder Schule gibt es einen H... Unsere S... heißt ... . Der D...ist der Boss an der Schule. Der B... fährt mich jeden Morgen zur Schule. Wir haben an der Schule viele L... In Deutschland gibt es sogar einen F... für Hunde. Mein Papa Harald ist K... und meine Mutter ist G... .

10 Welche Berufe passen zu den Zeichnungen? Was war leicht? Was war schwer?

 A...

 A...

 B...

 Ä...

 Sch...

 B...

 P...

 M...

Schauspieler/-in – Schreiner/-in – Architekt/-in – Designer/-in – Automechaniker/-in – Bauer/Bäuerin – Computerspezialist/-in – Frisör/-in – Fußballspieler/-in – Taxifahrer/-in – Tierarzt/-ärztin – Zahnarzt/-ärztin – Model – Pilot/-in – Rechtsanwalt/-anwältin – Politiker/-in – Polizist/-in – Bäcker/-in

11 Welche Berufe interessieren euch? Ergänzt die Liste.

12 Hört die Berufe und übt die Aussprache. 🎞 77

13 Berufe und typische Geräusche – Hört zu. Erkennt ihr die Berufe? 🎞 78

14 Berufe und Aktivitäten – Macht zwei Gruppen. Gruppe A liest eine Tätigkeit aus dem Kasten vor. Gruppe B nennt den Beruf.

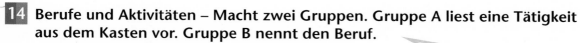

transportiert Leute im Auto
backt Brot und Kuchen
redet oft im Fernsehen
macht Tiere gesund
ist schön und bekommt viel Geld

repariert Zähne
macht Essen im Restaurant
macht die Haare schön
hat oft viele Tiere
repariert Autos

Sie repariert Zähne.

Das ist eine Zahnärztin.

Er sucht Kriminelle.

Das ist ein ...

15 Berufe raten mit Pantomime –
Macht eine typische Bewegung.
Die anderen raten.

16 Berufe im Tagesablauf – Welche Berufe siehst du?

> Morgens sehe ich immer den Busfahrer.

17 Was muss Olli zu Hause machen?

  a Lies den Text. Welche Bilder passen zum Text?

> Bild … passt zu Zeile …

1
2
3
4

```
Hallo, Leute,
ich bin Olli und ich bin 12 Jahre alt. Ich habe viele Berufe bei uns zu
Hause: Babysitter, „Auf-den-Hund-Aufpasser", „Rasenmäher"… ☹ ☹ – na ja,
aber im Ernst: Meine Mutter sagt, ich habe „Aufgaben".
Also, ich muss jeden Tag um 7 Uhr den Tisch decken für das Abendessen.
Dann muss ich auch jeden zweiten Tag das Wohnzimmer saugen und jeden Tag
am Nachmittag mit Rudi, das ist unser Hund, eine halbe Stunde spazieren
gehen und spielen. Und ich muss immer die Geschirrspülmaschine leer
machen. Einmal oder zweimal im Monat gehen meine Eltern aus und dann bin
ich Babysitter. Ich muss dann auf meine Schwester Maria (ein Jahr) auf-
passen. Aber dann bekomme ich immer drei Euro in der Stunde! Aber ich
helfe gern. Meine Mutter hat auch „Aufgaben": Sie fährt mich zum Sport,
zu Freunden und ins Kino. Und sie hilft mir manchmal bei den Hausaufgaben.
Alles o.k. Und wie ist das bei dir??
```

  b Wie ist das bei dir? Schreibe eine Antwort für Olli.

18 Personen beschreiben – Arbeitet zu zweit. Seht die Fotos an. Gebt den Personen einen Namen, einen Beruf und beschreibt einen Tag in ihrem Leben.

Draculas Nacht

19 Hört und singt das Lied.

1, 2, 3, 4, Dracula,
5, 6, 7, 8, Dracula
erwacht, erwacht um Mitternacht.
Die Uhr schlägt zwölf,
ich hör es schon:
Dracula am Telefon.
Es klappert sein Gebiss.
Es klappert sein Gerüst.
Die Leichen tanzen Rock 'n' Roll,
bei Nacht, bei Nacht,
bei Nacht im Mondenschein.

1 **Gute Wünsche: Was sagt man wann in Deutschland und bei euch?**

Am 24. Dezember: ...
Marek schreibt in der Schule einen Test: ...
Sandro hat Geburtstag: ...
Familie Schröder fährt in die Ferien: ...
Dein Freund ist krank: ...
Am Ostersonntag: ...
Im Restaurant vor dem Essen: Das Essen kommt: ...

Froh... ...   Froh... ...   Gu... ...   All... ... ...

Gu... ...   Schö... ...   Vi... ...

2 **Was machen wir am Sonntagnachmittag? Übt Dialoge zu zweit.**
Der Dialogbaukasten auf S. 81 hilft.

> Wollen wir zusammen schwimmen gehen?

> Nein, heute nicht. Das Wetter ist zu schlecht. Wir können zu Hause Musik hören.

> Ja gut, das machen wir!

Vorschlag

1. schwimmen gehen?
2. Mario besuchen?
3. auf den Sportplatz gehen?
4. zu Hause Tee trinken?
5. zu Hause fernsehen?
6. Computerspiele machen?

Antwort (—) / Vorschlag

Wetter zu schlecht / zu Hause Musik hören
keine Lust! / ins Jugendzentrum gehen
zu langweilig / ins Kino gehen
mag keinen Tee / Eis essen gehen
Wetter zu schön / in die Stadt fahren
Spiele sind zu alt / im Internet Musik suchen

+

> O.k.! Gute Idee!

3 Ein Spiel – Was ist wo in der Schule?

1. Notiert sechs Räume in der Schule: die Cafeteria, die Toilette, die Sporthalle …
2. Jeder zeichnet zwei Schulen und schreibt die Räume in Schule A.
3. Fragt wie im Beispiel:

- ○ Ist die Cafeteria im Erdgeschoss links?
- ● Nein. Ist das Lehrerzimmer …?
- ○ Ja.
- ● Treffer! Ist die …?

4 *Wo warst du am … ?* Frag deinen Partner / deine Partnerin.

Wo warst du am Freitagmorgen?

Am Freitagmorgen war ich in der Schule.
Und wo warst du am Samstagmorgen?

Am Samstagmorgen war ich im Schwimmbad.

Wochenplan 1	…morgen	…nachmittag	…abend
Freitag…			
Samstag…	im Schwimmbad	im Jugendclub	
Sonntag…			zu Hause
Montag…		Gitarrenunterricht	im Kino

Wochenplan 2	…morgen	…nachmittag	…abend
Freitag…	in der Schule	zu Hause	zu Hause
Samstag…			im Jugendzentrum
Sonntag…		im Bett	bei Opa und Oma
Montag…	im Schwimmbad		

5 Familie Schröder auf dem Weg nach Hamburg. Was ist passiert? Ergänze den Text mit Präpositionen und Artikeln.

auf der – auf der – auf dem – im – im – in die – nach – nach – nach – unter dem – neben dem – mit dem – mit der – vor dem

Familie Schröder will [1] Auto [2] Hamburg fahren. Was ist los? Das Auto fährt nicht mehr. Es steht [3] Straße. Timo sitzt [4] Auto und hört Walkman. Simone sitzt [5] Auto und ist sauer. Frau Schröder steht [6] Auto und fragt: „Wann fahren wir weiter?" Keiner antwortet. Herr Schröder liegt [7] Auto. Er kann nichts sehen. Da kommt die Polizei und sagt: „Sie dürfen hier [8] Straße nicht parken!" „Ha, ha, sehr lustig", sagt Timo, „wir wollen gern weiterfahren, aber wir können nicht." Sie rufen ein Taxi. Bald sitzen alle [9] Taxi und fahren [10] Hause. Dann fahren sie [11] Eisenbahn [12] Hamburg. Sie gehen [13] Jugendherberge. Dort ruft Timo plötzlich: „Die Tasche! Die Tasche, sie steht noch [14] …"

6 Sonntag ist schön – Was ich am Sonntag *nicht* mache.

7 Uhr aufstehen – duschen – Schule gehen – (keine) Hausaufgaben – Klavier üben – Mutter helfen – (keine) Englischbücher lesen – (keine) Wörter lernen – Zimmer aufräumen – Tisch decken …

Ich stehe nicht um 7 Uhr auf.
Ich lerne keine …

7 Wörter trainieren – Was passt gut zusammen? Schreibe Sätze mit je einem Element aus 1 und 2.

1		2	
Geschenke	Geburtstag	feiern	bekommen
einen Ausflug	eine Mathearbeit	sein	machen
Fahrrad	mit Freundinnen	machen	fahren
Postkarten	Theater	vorbereiten	spielen
Fotos	Radio	sehen	telefonieren
deutsche Filme	13 Jahre alt	schreiben	hören

Am Wochenende feiere ich meinen Geburtstag.

8 Laufdiktat – Texte lesen, Texte behalten, laufen und diktieren.

Familie Schröder macht einen Ausflug nach Hamburg. Zuerst gehen sie in die Jugendherberge. Danach machen sie eine Hafenrundfahrt. Dann kaufen sie vier Postkarten und schreiben sie an Freunde und Verwandte.

Dann kaufen sie vier Postkarten.

9 Interviewspiel: Lauft durch die Klasse und sammelt „Ja"-Antworten und Unterschriften. Eure Lehrerin hat das Arbeitsblatt.

10 Schulferien

a Lest den Text, schreibt einen Text und vergleicht.

Schulferien in Deutschland

In den deutschen Schulen gibt es ungefähr 12 Wochen Ferien im Jahr. 6 Wochen Sommerferien im Juni, Juli oder August/September. An Ostern und Weihnachten gibt es zwei oder drei Wochen. Die Termine sind in den Bundesländern nicht gleich. Es gibt in Deutschland viele Feiertage. Der 3. Oktober ist der Nationalfeiertag. Da ist auch schulfrei.

Schulferien bei uns

Bei uns gibt es ungefähr …

b Vergleicht: Von wann bis wann habt ihr Ferien? Welche Tage sind frei?

Ferienkalender	Bayern	Sachsen
Weihnachten	23.12. – 5.1.	22.12. – 2.1.
Winter	–	12.2. – 23.2.
Ostern/Frühjahr	9.4. – 21.4.	17.4. – 30.4.
Pfingsten	5.6. – 15.6.	2.6. – 5.6.
Sommer	26.7. – 10.9.	28.6. – 8.8.
Herbst	29.10. – 2.11.	8.10. – 19.10.

Die Schule ist aus. Sommerferien!

11 Postkarten

a Welcher Text passt zu welcher Postkarte?

1
Liebe Monika,
herzlichen Glückwunsch!
Wann machst du deine Party?
Ich habe auch ein Geschenk.
Dein Markus

Grüße aus Berlin

a

b

Du hast
Grund
zum Feiern

Alles Gute
für dein
neues Lebensjahr!

c

2
Herzliche Grüße
von der Insel Helgoland.
Hier ist es sehr kühl.
Wir hatten viel Regen.
Schwimmen war unmöglich.
Dein Marc

3
Lieber Opa, liebe Oma,
wie geht es euch? Hier in Luzern ist es
sehr schön. Das Wetter ist fantastisch.
Jeden Tag Sonne und 25 Grad.
Viele Grüße
Klaus
P.S: Ich besuche euch bald!

Gruß aus Luzern

4
Hallo, Leute!
Viele Grüße aus der Hauptstadt.
Die Stadt ist toll!
Es gibt super CD-Läden.
Heute geht unsere Klasse zum Parlament.
Gestern waren wir im Museum.
Jeden Tag Tourismus.
Bis bald!
Eure Isa

d

Sonne und Meer – der Norden hat's

b Schreibe eine Postkarte.

1. Ferienpostkarte – Was machst du? Wo warst du gestern? Wie war das Wetter?
2. Geburtstagskarte – Deine Lehrerin / Dein Lehrer hat Geburtstag.

VIDEO

12 **Der Job – Klärt folgende Wörter mit dem Video.**

Briefkasten (Post/Haus) – Keine Werbung! –
Zeitungen austragen – Müllcontainer

13 **Was muss/darf Markus machen?**

1. Er muss in die Schützenstraße gehen.
2. Er darf die Zeitungen in alle Briefkästen stecken.
3. Er muss in zwei Stunden fertig sein.

14 **Ollis Berufe – Was passt zusammen?**

Er deckt	das Auto.
Er saugt	den Rasen.
Er wäscht	den Tisch.
Er mäht	Hausaufgaben.
Er trägt	Staub.
Er macht	Zeitungen aus.

15 **Monikas Geburtstag – Korrigiert den Text mit dem Video.**

Monika hat am Freitag Geburtstag. Die Party ist am Samstag.
Die Video-AG kommt. Markus ist der DJ. Die Party beginnt
um fünf. Sie darf bis elf Uhr feiern. Alle müssen etwas zum
Trinken mitbringen. Es muss gut schmecken. Markus und Olli
sagen: „Döner schmecken gut." Sie kaufen acht Döner und
Cola. Monika findet Döner eine tolle Idee.
Dann essen alle Döner und tanzen und spielen Computer.

AUSSPRACHE

16 **Satzmelodie**

81

a Höre zu und vergleiche.

Ich gehe morgen ins Kino. ↘   (Aussagesatz)
Gehst du morgen ins Kino? ↗   (Ja/Nein-Fragesatz)
Wann gehst du ins Kino? ↘   (W-Fragesatz)

b Höre zu und entscheide: ↘ oder ↗?

82

LERNEN MIT SYSTEM

17 **Lesen mit Strategie: Eine Homepage auf Deutsch**

a **Die Express-Strategie**

Die ersten zehn Sekunden.

Geht es auf dieser Seite um: a) ein Schloss?   b) Sport?   c) eine Jugendherberge?

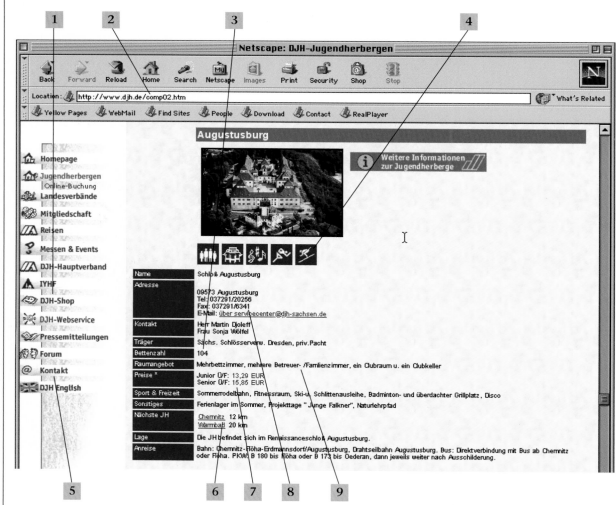

b **Die Schnüffel-Strategie**

Das interessiert mich. Nenne die Nummer der Information.

a) Gibt es Zimmer für Familien?

b) Hat die Jugendherberge ein Fax?

c) Kann ich da Ski fahren?

d) Kann ich auf der Homepage einkaufen?

e) Gibt es eine Stadt in der Nähe?

f) Kann ich eine E-Mail schreiben?

g) Was kostet die Übernachtung für meine Eltern?

h) Wie ist die Internetadresse?

i) Wie viele Betten gibt es?

18 Das „geni@l-Millionenspiel" – Ein Landeskundequiz

Eure Lehrerin / Euer Lehrer hat die Spielregeln und die Aufgaben.

Wie heißt die Hauptstadt
von Deutschland?

[a] Wien
[b] Hamburg
[c] Berlin
[d] München

Welches Schulfach gibt es
nicht an der „Goethe-Schule"?

[a] Biologie
[b] Kunst
[c] Informatik
[d] Polnisch

19 Ein Quiz zum Lehrwerk selbst machen. Jede Gruppe schreibt zwei Fragen
zu einer Einheit von *geni@l*. Dann spielt ihr das Quiz im Kurs.

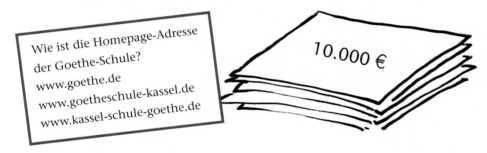

Wie ist die Homepage-Adresse
der Goethe-Schule?
www.goethe.de
www.goetheschule-kassel.de
www.kassel-schule-goethe.de

20 Teste dich selbst – Grammatiksprache: Was kenne ich?

a Ordne zu.

1. Ich habe **keine** Papageien.
2. **Meine** Großmutter ist schon über 80 Jahre alt.
3. **Lest** bitte den Text!
4. Elvis Presley **war** ein Rock-'n'-Roll-Sänger.
5. Wie komme ich **zum** Bahnhof, bitte?
6. In Italien ist das Eis **besser als** in Spanien.
7. **Kannst** du meine Hausaufgaben **machen**?
8. Wann **fängt** das Konzert **an**?
9. **Wann** hast du Ferien?
10. Kennst du Tom? Nein, ich kenne **ihn** nicht.
11. Interessiert **sich** Turbo für Hunde?

a) trennbare Verben
b) vergleichen: *gut – besser* …
c) Präteritum
d) Präpositionen mit Dativ
e) Modalverben/Satzklammer
f) Imperativsätze
g) W-Fragen
h) Possessivartikel
i) Verneinung (Nomen)
j) Reflexivpronomen
k) Personalpronomen im Akkusativ

b Schreibe zu jedem Beispiel noch einen Satz.

c Diskutiert: Was war schwer und was war leicht?

21 Schüler sprechen über ihren Unterricht

a Diskutiert über die Aussagen.

1. Ich bin im Unterricht immer sehr aktiv.
   Ich sage fast immer etwas und ich frage viel.
2. Ich arbeite gern mit anderen.
3. Ich finde Deutsch schwer. Ich muss für den
   Unterricht immer lange und viel arbeiten.
4. Im Deutschunterricht fühle ich mich gut.
   Ich habe hier viele Freunde.
5. Ich höre lieber zu und sage nicht oft etwas.
   Ich arbeite lieber allein.
6. Deutsch macht mir Spaß. Ich muss nicht viel
   für den Deutschunterricht arbeiten.

**b Bist du zufrieden? Willst du etwas ändern? Was kannst du ändern?
Wer/Was kann dir helfen?**

22 Deutsch lernen mit *geni@l* – über das Lehrwerk diskutieren.

1. Welche Einheit hat euch am besten gefallen?
2. Welche Einheit habt ihr nicht gern gemacht? Warum nicht?
3. Deutsch sprechen, schreiben, hören, lesen mit *geni@l* –
   Was hat euch im Unterricht am meisten Spaß gemacht? Wo waren die Probleme?
4. Spiele und Lieder in *geni@l* – Was war am besten?
5. …

23 Das Lernen lernen im Deutschunterricht. Sprecht über die Aussagen.

Was macht ihr: 100 %   immer ⟶ oft ⟶ manchmal ⟶ selten ⟶ nie   0 %

1. Ich arbeite mit Lernkärtchen.
2. Ich organisiere meine Lernzeit.
3. Ich mache meine Hausaufgaben.
4. Bei Problemen frage ich die anderen Schüler
   oder meine Lehrerin / meinen Lehrer.
5. Mein Arbeitsplatz ist ordentlich aufgeräumt.
6. Ich lese und höre mit Strategien.
7. Ich spreche, höre und lese nicht nur im Deutschunterricht.
8. Ich sehe deutsches Fernsehen, höre Radio …
9. Ich spreche manchmal mit Touristen …
10. …

Mein Arbeitsplatz ist nie aufgeräumt.

Grammatik im Überblick

Das findest du hier:

▶ 1,2,4

▶ 1,2,4

▶ 1,2,4

Symbole auf S. 100–108:
▶ 11 = Kommt in Einheit 11 vor.
▶ G 12 = Mehr Informationen gibt es bei Punkt 12 in der „Grammatik im Überblick".

Einheit 1–5

SÄTZE

▶ 1, 2, 4

1 Fragen mit W-Wort und Antworten

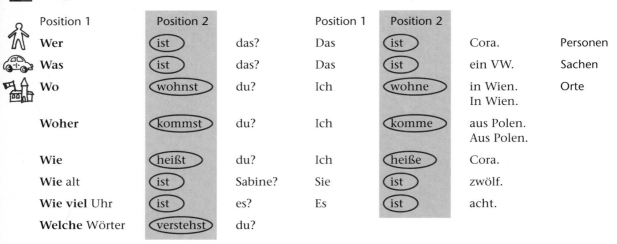

	Position 1	Position 2		Position 1	Position 2		
	Wer	ist	das?	Das	ist	Cora.	Personen
	Was	ist	das?	Das	ist	ein VW.	Sachen
	Wo	wohnst	du?	Ich	wohne	in Wien. In Wien.	Orte
	Woher	kommst	du?	Ich	komme	aus Polen. Aus Polen.	
	Wie	heißt	du?	Ich	heiße	Cora.	
	Wie alt	ist	Sabine?	Sie	ist	zwölf.	
	Wie viel Uhr	ist	es?	Es	ist	acht.	
	Welche Wörter	verstehst	du?				

▶ 1, 3

2 Fragen ohne W-Wort und Ja/Nein-Antworten

Magst	du	Sport?	Ja, sehr. Nein, ich mag Musik.
Ist	das	Berlin?	Nein, das ist Potsdam. Ja.

▶ 1, 4

3 Adjektive im Satz (nach dem Verb)

Das Foto	ist	**interessant.**
Am Samstag	ist	**schulfrei.**
Ist	morgen	**schulfrei?**
Mathe	ist	**cool!**

▶ 2

4 Das Verb *können* im Satz

Ich kann Gitarre spielen.

Kannst du auch Gitarre spielen?

G

WÖRTER

5 | Nomen und bestimmte Artikel: *der, das, die*

▶ 3

der das die

	der	das	die
Singular:	**der** Ball	**das** Heft	**die** Tasche
Plural:	**die** Bälle	**die** Hefte	**die** Taschen

6 | Nomen und unbestimmte Artikel: *ein, eine*

▶ 3

bestimmte Artikel: der Ball   das Heft   die Tasche

unbestimmte Artikel: **ein** Ball   **ein** Heft   **eine** Tasche

der/das → ein   die → eine

7 | Nomen: Verneinung mit *kein, keine*

▶ 3

der Spitzer   das Lineal   die Schere

Das ist kein Ball,   Das ist kein Heft,   Das ist keine Tasche,
das ist ein Spitzer. das ist ein Lineal. das ist eine Schere.

8 | Nomen: Komposita

▶ 3

der Ball   das Heft   die Tasche

der Fußball   **das Schulheft**   **die Schultasche**

▶ 4

9 Nomen: Pluralformen

	Singular	Plural
(ä/ö/ü) –	das Mädchen der Vater	die Mädchen die Väter
-s	das Auto	die Autos
-n	die Sprache	die Sprachen
-en	die Zahl	die Zahlen
-nen	die Schülerin	die Schülerinnen
(ä/ö/ü)-e	der Kurs der Stundenplan	die Kurse die Stundenpläne
(ä/ö/ü)-er	das Fach	die Fächer

▶ 4, 8

10 Verbstamm und Verbendungen

Infinitiv: (wohnen)

Verbstamm: Verbendungen:

(wohn-) (-e) (-st) (-t) (-en) (-t) (-en)

regelmäßig – Die Endung ändert sich.		unregelmäßig – Der Verbstamm und die Endung ändern sich.		
	schwimmen	geben	mögen	sein
er/es/sie	schwimmt	gibt	mag	ist

▶ 1, 2, 4

11 Verben und Personalpronomen

Singular

	lernen	lesen	sein	haben	mögen	können
ich	lerne	lese	bin	habe	mag	kann
du	lernst	liest	bist	hast	magst	kannst
er/es/sie	lernt	liest	ist	hat	mag	kann

Plural

	lernen	lesen	sein	haben	mögen	können
wir	lernen	lesen	sind	haben	mögen	können
ihr	lernt	lest	seid	habt	mögt	könnt
sie/Sie*	lernen	lesen	sind	haben	mögen	können

* Sie = formelle Anrede: Wie heißen Sie?

Einheit 6–10

SÄTZE

12 Fragesätze

▶ 7

Position 1	Position 2		
Wann	fängt	das Kino	an?
Um **wie viel** Uhr	fängt	das Kino	an?

13 Fragen mit *welcher, welches, welche*

▶ 8

	Nominativ	Akkusativ
der Comic	Welcher Comic ist interessant?	Welchen Comic findest du gut?
das Auto	Welches Auto ist teuer?	Welches Auto möchtest du haben?
die Party	Welche Party ist am besten?	Welche Party magst du?
	Welche Comics/Autos/Partys sind am besten?	Welche Comics/Autos/Partys magst du?

14 Sätze mit Zeitangaben

▶ 8

Um 9 Uhr	fängt	das Kino	an.
Am Nachmittag	fahre	ich	Rad.
Am Sonntagmorgen	schwimme	ich.	
Heute	lerne	ich	meine Vokabeln.

Das Kino	fängt	**um 9 Uhr**	an.
Ich	fahre	**am Nachmittag**	Rad.
Ich	schwimme	**am Sonntagmorgen.**	

15 Imperativsätze

▶ 9

Lesen	Sie	bitte den Satz!	
Hör		bitte	zu !
Schlagt		bitte das Buch	auf !

16 Sätze mit trennbaren Verben

▶ 7

Ich	schreibe	einen Satz	ab.
Bitte	nimm	den Hund	mit!
	Rufst	du bitte meine Mutter	an?

G

WÖRTER

▶ 2, 3,
6, 9

17 **Nomen und Artikel (Überblick): bestimmter, unbestimmter Artikel, Possessivartikel**

Nominativ	Akkusativ	Nominativ	Akkusativ
Das ist …	Ich suche …	Das ist …	Ich habe …

der Hund.	**den** Hund.	ein mein kein	Hund.	einen meinen keinen	Hund.
das Kaninchen.	das Kaninchen.	ein mein kein	Kaninchen.	ein mein kein	Kaninchen.
die Katze.	die Katze.	eine meine keine	Katze	eine meine keine	Katze.

▶ 6, 9

18 **Possessivartikel: Nominativ und Akkusativ**

	Nominativ (Singular)		Akkusativ (Singular)		
	Das ist …		Ich suche/mag …		
ich	mein	meine	meinen	mein	meine
du	dein	deine	deinen	dein	deine
er/es	sein	seine	seinen	sein	seine
sie	ihr	ihre	ihren	ihr	ihre
wir	unser	unsere	unseren	unser	unsere
ihr	euer	eure*	euren	euer	eure*
sie/Sie	ihr/Ihr	ihre/Ihre	ihren/Ihren	ihr/Ihr	ihre/Ihre
	… Hund/Kaninchen.	… Katze.	… Hund.	… Kaninchen.	… Katze.

Nomen im Plural: **die** Hunde / **die** Kaninchen / **die** Katzen

Das sind / Ich suche meine/deine/seine/ihre/unsere/eure*/ihre/Ihre Hunde/Kaninchen/Katzen.

* Bei eure fällt das e weg.

▶ 7

19 **Präpositionen: *in* + bestimmter Artikel (Akkusativ)**

Kommst du mit ins Kino?

Ich weiß noch nicht.

der Park   Wir gehen heute …
das Konzert   … **in den** Park.
die Disco   … **ins** Konzert.   in + das → ins
                   … **in die** Disco.

104 einhundertvier

20 Trennbare Verben

Ich | stehe | am Sonntag um 9 Uhr | auf |.

(ab | holen)　(auf | stehen)　(mit | kommen)　(vor | lesen)　(zu | hören)

Diese Verben aus den Einheiten 1–9 kann man trennen:

abholen – abschließen – anfangen – ankreuzen – anmachen – anrufen – anschreiben – ansehen –
anziehen – aufhören – aufmachen – aufpassen – aufräumen – aufschlagen – aufschreiben –
aufstehen – aufwachen – einsammeln – mitgehen – mitkommen – nachschlagen – nachsprechen –
vorbeikommen – vorlesen – vorspielen – zuhören

▶ 9 / G 15

21 Imperativformen

Präsens	Imperativform	Imperativsatz	
du schreibst	~~du~~ schreib~~st~~	Schreib bitte den Satz.	*du*-Form
du liest	~~du~~ lies~~t~~	Lies bitte den Satz.	
ihr schreibt	~~ihr~~ schreibt	Schreibt bitte den Satz.	*ihr*-Form
ihr lest	~~ihr~~ lest	Lest bitte den Satz.	
Sie sprechen	sprechen **Sie**	Sprechen Sie bitte.	*Sie*-Form
Sie lesen	lesen **Sie**	Lesen Sie bitte.	

⚠ Imperativsätze mit „bitte" sind höflicher.

▶ 6

22 Verben mit Akkusativ

Unser Lehrer fährt (+A) einen VW.
Er findet (+A) seinen VW super.
Er hat (+A) aber auch ein Fahrrad.

▶ 7

23 Verben verneinen mit *nicht*

Kommst du heute Abend mit ins Kino?

Tut mir leid, ich kann heute nicht.
Wir schreiben morgen einen Test.

Ich	(gehe) heute	nicht	ins Kino.
Ich	(kann)	nicht	mitgehen.
Das	(geht)	nicht.	
(Gehst)	du	nicht	mit?

▶ 8

24 Adjektive: Komparation von *gern* und *gut*

Ich fahre **gern** Ski.
Ich gehe **lieber** ins Kino.
Ich lese **am liebsten**.

Spaghetti finde ich **gut**.
Pizza finde ich **besser** als Spaghetti.
Hamburger finde ich **am besten**.

Einheit 11–15

SÄTZE

▶ 12, 13 / G 12

25 Fragesätze: *wo? wohin?*

Wo	ist	hier die Bibliothek?
Wohin	fahrt	ihr am Wochenende?

▶ 7, 11 / G 12

26 Sätze mit Zeitangaben: *wann?*

Ich	habe	**im Oktober**	Geburtstag.
Im Oktober	habe	ich	Geburtstag.
Ich	habe	**am 21. April**	Geburtstag.
Am 21. April	habe	ich	Geburtstag.

▶ 14

27 Sätze mit Frequenzangaben: *wie oft?*

immer → meistens → oft → manchmal → nie

Manchmal	geht	Simone um 9 Uhr	ins Bett.
Simone	geht	**manchmal** um 9 Uhr	ins Bett.
Meistens	liest	sie	ein Buch.
Sie	liest	**meistens**	ein Buch.

Sie	steht	**immer** um 7 Uhr	auf.
Sie	geht	**oft**	ins Kino.
Sie	geht	**nie**	aus.

▶ 2, 11, 13 / G 4, 20

28 Sätze mit Modalverben (Satzklammer)

Ich	muss	Hausaufgaben	machen.
Ich	darf	bis 22 Uhr	ausgehen.
Ich	will	nicht mit dem Auto	fahren.
Wie lange	darfst	du	ausgehen?
	Kannst	du	schwimmen?
Wohin	willst	du am Wochenende	fahren?

WÖRTER

29 **Präpositionen:** *wann + am, im, um*

▶ 4, 11 / G 19

Mandy hat	**am**	ersten April (1.4.)	Geburtstag.	Datum
		ersten Vierten		
		Sonntag		Tag
Ich komme	**am**	Nachmittag.		Tageszeit
Carla hat	**im**	Februar	Geburtstag.	Monat
		Winter		Jahreszeit
Ich komme	**um**	5 Uhr.		Uhrzeit

30 **Präpositionen** *an, in, nach*

▶ 7, 13 / G 19, 29

Wohin fährt Familie Schröder?

der Rhein	Sie fährt	**an den**	Rhein.	
das Meer		**ans**	Meer.	an + das → ans
die Nordsee		**an die**	Nordsee.	
der Wald		**in den**	Wald.	
das Dorf		**ins**	Dorf.	in + das → ins
die Schweiz		**in die**	Schweiz/Türkei.	Land mit Artikel
		nach	Norddeutschland/	Land ohne Artikel
			Polen/Italien.	
			Hamburg/Berlin.	Stadt

31 **Präpositionen** *auf, an, in, hinter, neben, vor, unter* **+ bestimmter Artikel:**
wo **+ Dativ**

▶ 12 / G 19, 29-30

Wo ist der Wecker?

Der Wecker hängt <u>an</u> der Wand.

hinter dem Bett

vor dem Bett

auf dem Bett

im Bett

neben dem Bett

unter dem Bett

Nominativ				Dativ	
Singular					
der Stuhl	Turbo sitzt	**neben** **hinter**		dem Stuhl.	der/das → **dem**
das Sofa	Turbo sitzt	**auf** **unter** **vor**		dem Sofa.	
die Cafeteria	Boris sitzt	**in**		der Cafeteria.	die (Sg.) → **der**
die Wand	Das Poster hängt	**an**		der Wand.	
Plural					
die Taschen	Die Bücher sind	**in**		den Taschen.	die (Pl.) → **den**

in + dem → **im**	Boris liegt **im** Bett. Boris sitzt **im** Auto.
an + dem → **am**	Die Tasche hängt **am** Stuhl.

▶ 14

32 Personalpronomen und Reflexivpronomen im Akkusativ

Personalpronomen		Reflexivpronomen
Nominativ	Akkusativ	Akkusativ
ich	mich	mich
du	dich	dich
er	ihn	sich
es	es	sich
sie	sie	sich
wir	uns	uns
ihr	euch	euch
sie/Sie	sie/Sie	sich

Turbo duscht sich jeden Morgen.

▶ 11, 13 / G 28

33 Modalverben: *dürfen, müssen, mögen (möchten), können, wollen*

Infinitiv	dürfen	müssen	mögen (1)	mögen (2)	können	wollen
ich	**darf**	**muss**	**mag**	**möchte**	**kann**	**will**
du	**darfst**	**musst**	**magst**	**möchtest**	**kannst**	**willst**
er/es/sie	**darf**	**muss**	**mag**	**möchte**	**kann**	**will**
wir	**dürfen**	**müssen**	**mögen**	**möchten**	**können**	**wollen**
ihr	**dürft**	**müsst**	**mögt**	**möchtet**	**könnt**	**wollt**
sie/Sie	**dürfen**	**müssen**	**mögen**	**möchten**	**können**	**wollen**

▶ 11

34 Präteritum: *haben* und *sein*

Infinitiv	haben	sein
ich	**hatte**	**war**
du	**hattest**	**warst**
er/es/sie	**hatte**	**war**
wir	**hatten**	**waren**
ihr	**hattet**	**wart**
sie/Sie	**hatten**	**waren**

Wo warst du gestern?

Ich war in Jena. Meine Oma hatte Geburtstag.

Alphabetische Wortliste

In der Liste findest du die Wörter aus Einheit 1–15 von geni@l A1. Wörter aus den Lesetexten (z. B. „Erste deutsche Medaille bei den Paralympics", S. 11) und Namen von Personen, Städten und Ländern usw. sind nicht in der Liste.

Diese Informationen findest du in der Wortliste:

Bei Verben: den Infinitiv, von den unregelmäßigen Verben die 3. Person Singular Präsens.
losfahren, er fährt los 80/4

Bei Nomen: das Wort, den Artikel, die Pluralform.
Foto, das, -s 6/1

Bei Adjektiven: das Wort, die unregelmäßigen Steigerungsformen.
gut, besser, am besten 8/3

Bei verschiedenen Bedeutungen eines Wortes:
das Wort und Beispiele.
machen (1) *(ein Plakat machen)* 15/14
machen (2) *(Spaß machen)* 16/18
machen (3) *(Musik machen)* 48/1

Den Wortakzent: kurzer Vokal • oder langer Vokal –.
machen (1) *(ein Plakat machen)* 15/14
Arbeit (1), die, -en 37/4

Wo du das Wort findest: Seite/Aufgabennummer.
Lottozahl, die, -en 26/10

Fett gedruckte Wörter gehören zum Lernwortschatz.
Diese Wörter musst du auf jeden Fall lernen.
Foto, das, -s 6/1

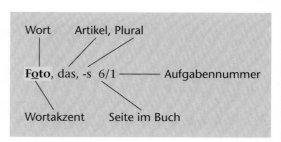

Wort	Artikel, Plural

Foto, das, -s 6/1 —— Aufgabennummer

Wortakzent · Seite im Buch

Abkürzungen und Symbole

"	Umlaut im Plural (bei Nomen)
*, *	keine Steigerung (bei Adjektiven)
Sg.	nur Singular (bei Nomen)
Pl.	nur Plural (bei Nomen)
(+ A.)	Präposition mit Akkusativ
(+ D.)	Präposition mit Dativ
(+ A./D.)	Präposition mit Akkusativ oder Dativ
Abk.	Abkürzung

Eine Liste mit unregelmäßigen Verben von geni@l A1 findest du auf Seite 118.
Einige Listen mit wichtigen Wortgruppen findest du auf Seite 118 und 119.

ab (+ *D.*) 25/3
Abc, das *Sg.* 19/3
Abend, der, -e 8/3
Abendessen, das, – 84/1
aber 37/4
abfahren, er fährt ab 62/7
abholen 40/17
Ablehnung, die, -en 80/5
abschließen, er schließt ab 57/8
abschreiben, er schreibt ab 45/11
ach 15/17
Ach so! 15/17
achten (+ auf + *A.*) 15/12
Affe, der, -n 36/1

AG, die, -s (= Arbeitsgemeinschaft, die, -en) 24
ah 82/11
äh 50/6
aha 9/9
Ahnung, die, -en 7/1
Akkusativ, der, -e 39/11
aktiv 60/1
Aktivität, die, -en 71/17
all- *(Alle Schüler lernen Englisch.)* 25/3
allein 98/21
Alphabet, das, -e 9/6
als (1) *(besser als)* 52/14
als (2) *(Er arbeitet als Koch.)* 55/2

also 21/11
Also so was! 21/11
alt 12/1
Alter, das *Sg.* 17/22
am (= an dem) (+ *D.*) 25/3
an (+ *A./D.*) 25/3
ander- *(Übt die Dialoge mit anderen Namen.)* 8/4
ändern 51/10
anders *(Was ist gleich? Was ist anders?)* 86/5
anfangen, er fängt an 43/4
Angabe, die, -n 85/2
Angebot, das, -e 81/6
ankommen, er kommt an 81/8

ankreuzen 23/16
Anlage, die, -n 52/14
anmachen 45/11
Anrede, die, -n 28/22
Anrufbeantworter, der, – 46/16
anrufen, er ruft an 44/8
Anrufer/Anruferin,
   der, – / die, -nen 61/4
ans (= an das) (+ A.) 55/2
anschreiben, er schreibt an
   45/13
Antwort, die, -en 22
antworten 30/3
anziehen, er zieht an 46/15
Appetit, der Sg. 66/1
Aquarium, das, Aquarien 21/10
Arbeit (1), die, -en 37/4
Arbeit (2), die, -en (Klassenarbeit)
   76/11
arbeiten 29/23
Arbeitsblatt, das, "-er 93/9
Arbeitsgemeinschaft, die, -en
   (Abk. AG, die, -s) 24
Arbeitsplatz, der, "-e 98/22
Architekt/Architektin,
   der, -en / die, -nen 87/10
ärgern 86/8
Arm, der, -e 55/2
Artikel, der, – 20
Artikel-Gymnastik, die Sg. 32/8
auch 8/3
auf (+ A./D.) 8/3
Auf Wiedersehen! 8/3
aufbleiben, er bleibt auf 71/15
auffallen, er fällt auf 38/9
Aufgabe, die, -n 8/3
aufgeräumt 98/23
aufhören 44/8
aufmachen 45/13
aufpassen 44/9
Aufpasser/Aufpasserin,
   der, – / die, -nen 88/17
aufräumen 59/15
aufschlagen, er schlägt auf 45/13
aufstehen, er steht auf 32/9
aufwachen 45/11
aus (1) (+ D.) (Das Foto ist aus
   Deutschland.) 7/1
aus (2) (Die Schule ist aus.) 93/10
aus sein, er ist aus 93/10
Ausflug, der, "-e 67/2
Ausflugstag, der, -e 64/17
ausgehen, er geht aus 84/1
ausmachen 57/8
Ausrede, die, -n 70/12
Aussage, die, -n 72/1

aussehen, er sieht aus 38/8
Aussprache, die, -n 15
Aussprache-Plakat, das, -e 15/14
aussprechen, er spricht aus 26/9
austragen, er trägt aus 95/12
auswählen 62/5
Ausweis, der, -e 81/9
Auto, das, -s 20/4
Automechaniker/-mechanike-
   rin, der, – / die, -nen 87/10
Baby, das, -s 55/2
babysitten 68/7
Babysitter/-sitterin,
   der, – / die, -nen 88/17
backen, er bäckt/backt 87/14
Bäcker/Bäckerin,
   der, – / die, -nen 87/10
baden 70/12
Bahnhof, der, "-e 97/20
bald 8/3
Ball, der, "-e 33/12
Banane, die, -n 18
Band, die, -s (Musik-Band) 63/10
Bank (1), die, "-e (Sitzbank)
   46/14
Bank (2), die, -en (Geldinstitut)
   46/14
Baseball (1) Sg. ohne Artikel
   (das Spiel) 33/12
Baseball (2), der, "-e (der Ball)
   64/16
Baseballkappe, die, -n 75/9
Basketball Sg. ohne Artikel
   (das Spiel) 24
basteln 48/1
bauen 52/14
Bauer/Bäuerin,
   der, -n / die, -nen 87/10
beantworten 29/24
beeilen (+ sich) 57/8
beginnen, er beginnt 25/3
behalten, er behält 65/18
beide 46/15
beim (= bei dem) (+ D.) 35/19
Beispiel, das, -e 24
Bekannte, der/die, -n 67/2
bekommen, er bekommt 77/11
bellen 38/8
Berg, der, -e 78/1
Beruf, der, -e 84
Beruferaten, das Sg. 87/15
berühmt 78/1
beschreiben, er beschreibt 60/1
besonders 16/20
Besserung, die Sg. 66/1
Beste, der/das/die, -n 77/12

bestimmt 21/9
Betonung, die, -en 64/13
betrachten 11/11
Bett, das, -en 70/12
Bewegung, die, -en 88/15
Bibliothek, die, -en 43/5
Bier, das, -e 82/11
Bild, das, -er 7/2
bilden 30/3
Billard, das Sg. 81/9
Bio Sg. ohne Artikel (Abk. für das
   Schulfach Biologie) 25/3
Biolehrer/Biolehrerin,
   der, – / die, -nen 24
Biologie, die als Schulfach
   (Abk. Bio): Sg. ohne Artikel
   25/3
Biologielehrer/-lehrerin,
   der, – / die, -nen 25/3
Biologieraum, der, "-e 33/13
bis 8/3
Bis bald! 8/3
bitte 9/7
Blatt, das, "-er 76/11
blau 37/5
bleiben, er bleibt 40/17
Bleistift, der, -e 18
blöd 47/20
Blume, die, -n 20/4
Boden, der, "– 75/9
Boss, der, -e 63/10
boxen 12/3
Bratwurst, die, "-e 55/2
brauchen 81/9
braun 37/5
Brief, der, -e 25/3
Briefkasten, der, "-en 95/12
Briefmarke, die, -n 50/7
Brille, die, -n 19
bringen, er bringt 33/13
Brot, das, -e 20/6
Brötchen, das, – 57/8
Bruder, der, "– 36/3
Buch, das, "-er 34/17
Bücherratte, die, -n 40/15
buchstabieren 9/9
bunt 37/5
Burg, die, -en 81/6
Bus, der, -se 92/5
Busfahrer/-fahrerin,
   der, – / die, -nen 88/16
Cafeteria, die, -s 25/3
CD, die, -s 19
CD-Laden, der, "– 94/11
CD-Spieler, der, – 45/11
Chaos, das Sg. 65/19

Chef/Chefin, der, -s / die, -nen
  72/1
Chemie, die, – 25/4
Chemieraum, der, "-e 72/1
Chor, der, "-e 24
Clique, die, -n 9/7
Club, der, -s 52/14
Cola, die, -s 53/16
Coladose, die, -n 75/9
Comic, der, -s 50/8
Computer, der, – 21/10
Computerkurs, der, -e 25/3
Computerraum, der, "-e 72/1
Computerspezialist/-spezialistin,
  der, -en / die, -nen 87/10
Computerspiel, das, -e 52/14
cool 8/3
Cornflakes *Pl.* 85/3
Cousin/Cousine, die, -s / die, -n
  54/1
da (1) *(In der Schweiz, da bin ich
  gern.)* 16/18
da (2) *(Wer ist da?)* 61/4
da sein, er ist da 83/14
Dackel, der, – 37/7
daneben 55/2
Dank, der *Sg.* 73/2
danke 8/3
dann 27/18
Dativ der, -e 74/8
decken *(den Tisch decken)* 88/17
denken, er denkt 59/16
denn 21/8
Designer/Designerin,
  der, – / die, -nen 87/10
Deutsch (1) *Sg.* ohne Artikel
  (das Schulfach) 25/3
Deutsch (2), das *Sg. (die Sprache)*
  11/13
Deutschbuch, das, "-er 20/4
Deutschland *Sg.* ohne Artikel
  7/1
Dialog, der, -e 8/4
Dialogbaukasten, der, "– 43/5
Dialoggrafik, die, -en 43/4
Diät, die, -en 46/17
Dienstag, der, -e 25/3
diktieren 26/11
Dinosaurier, der, – 33/12
direkt 81/6
Direktor/Direktorin,
  der, Direktoren /
  die, Direktorinnen 24
Discman, der, -s/Discmen 18
Disco, die, -s 43/5
diskutieren 24/1

DJ, der, -s (= Discjockey, der, -s)
  95/15
doch 16/18
Döner, der, – 95/15
Donnerstag, der, -e 25/3
Donnerwetter, das, – 77/12
dort 78/1
Dr. (= Doktor/Doktorin,
  der, Doktoren /
  die, Doktorinnen) 36/4
draußen 40/17
du-Form, die, -en 58/13
durch (1) (+ A.) *(geteilt durch 3)*
  53/17
durch (2) (+ A.) *(Lauft durch die
  Klasse …)* 93/9
dürfen, er darf 71/15
duschen 84/1
€ (Euro, siehe dort)
E-Mail, die, -s 25/3
E-Mail-Adresse, die, -n 77/12
echt 8/3
eigentlich 84/1
ein bisschen 12/1
einfach 69/8
Eingang, der, "-e 24
Einheit, die, -en 15/15
einkaufen 70/14
einladen, er lädt ein 51/10
Einladung, die, -en 69/9
einmal 58/10
einsammeln 32/9
einschalten 85/3
Eis, das *Sg. (Speiseeis)* 90/2
Eisenbahn, die, -en 92/5
Eistee, der, -s 84/1
Elefant, der, -en 20/4
Element, das, -e 92/7
Eltern *Pl.* 36/3
endlich 83/14
Endung, die, -en 13/5
Englisch *Sg.* ohne Artikel
  (das Schulfach) 25/3
Englischbuch, das, "-er 18
Enkel/Enkelin, der, – / die, -nen
  54/1
entscheiden, er entscheidet 95/16
Entschuldigung, die, -en 58/10
Erdgeschoss, das, -e *(österreichisch
  Erdgeschoß, das, -e)* 72/1
erfinden, er erfindet 70/12
ergänzen 16/19
erkennen, er erkennt 87/13
erklären 58/10
Ernst, der *Sg.* 88/17
erst 84/1

erwachen 89/10
Erwachsene, der/die, -n 78/1
erzählen 83/12
es 27/13
es gibt 24/2
Essen, das, – 11/12
essen, er isst 29/23
etwas *(Abk.* was) 51/10
Euro, der, -s, aber: 10 Euro
  (Abk. €) 40/17
Experiment, das, -e 72/1
Experte/Expertin,
  der, -n / die, -nen 72/1
Express-Strategie, die, -n 84/1
Fach, das, "-er 25/3
fahren, er fährt 16/18
Fahrkarte, die, -n 18
Fahrrad, das, "-er 21/8
Fahrradtour, die, -en 80/4
Familie, die, -n 54
Familienfoto , das, -s 54/1
Familienstunde, die, -n 84/1
Fantasiebild, das, -er 20/4
Fantasietag, der, -e 85/3
Fantasiewoche, die, -n 85/3
fantastisch 16/20
farbig 20/4
fast 65/19
faulenzen 48/1
Fax, das, -e 24
Federball *Sg.* ohne Artikel
  (das Spiel) 84/1
fehlen 26/8
Fehler, der, – 64/14
feiern 47/20
Fell, das, -e 37/7
Femininum, das, Feminina 38/9
Fenster, das, – 21/11
Ferien *Pl.* 49/5
Ferienpostkarte, die, -n 94/11
Fernsehen, das *Sg.* 44/7
fernsehen, er sieht fern 45/11
Fernseher, der, – 21/10
fertig 30/1
Fest, das, -e 47/20
Feuerwehr, die, -en 52/14
Fieber, das *Sg.* 70/13
Film, der, -e 11/12
filmen 12/1
Filmstar, der, -s 14/8
finden (1), er findet *(Die Infos
  findet ihr auf der Homepage.)*
  25/3
finden (2), er findet *(Krimis finde
  ich am besten.)* 63/9
Fisch, der, -e 21/11

Fischbrötchen, das, – 82/11
Fischmarkt, der, "-e 78/1
Fitnesstraining, das, -s 35/18
Fliege, die, -n 36/1
fliegen, er fliegt 85/3
fließen, er fließt 79/1
Flipper, der, – 81/9
Flohmarkt, der, "-e 78/1
Flöte, die, -n 12/1
Form, die, -en 38/9
Formel-1-Spiel, das, -e 63/8
formell 28/22
Foto, das, -s 6
fotografieren 12/1
Frage, die, -n 16/19
fragen 16/20
Französisch *Sg.* ohne Artikel
 (das Schulfach) 25/3
Frau, die, -en 8
frei 80/4
freihaben, er hat frei
 (Am Wochenende habe ich frei.)
 47/20
Freitag, der, -e 25/3
Freitagmorgen, der, – 91/4
Freizeit, die, -en 48
Fremdsprache, die, -n 60/2
fressen, er frisst 60/1
freuen 64/15
Freund/Freundin,
 der, -e / die, -nen 25/3
freundlich 73/3
frisch 82/11
Frisör/Frisörin,
 der, -e / die, -nen 87/10
froh 46/15
Frühjahr, das, -e 93/10
Frühling, der, -e 67/3
Frühstück, das, -e 57/8
frühstücken 84/1
fühlen 98/21
Füller, der, – 18
für (+ *A.*) 46/15
Fuß, der, "-e 83/14
Fußball, der *Sg. (das Spiel)* 12/1
Fußballspiel, das, -e 44/7
Fußballspieler/-spielerin,
 der, – / die, -nen 87/10
ganz *(Atze ist ganz schwarz.)* 37/4
ganz- *(Mein Vater ist den ganzen
 Tag zu Hause.)* 71/15
Gast, der, "-e 67/2
geben, er gibt 24/2
Gebiss, das, -e 89/19
Geburtstag, -e 44/7
Geburtstagskalender, der, – 67/3

Geburtstagskarte, die, -n 94/11
Geburtstagskind, das, -er 67/2
Geburtstagsparty, die, -s 67/2
Geburtstagsspiel, das, -e 67/2
gefallen, er gefällt 98/22
Gegenstand, der, "-e 19/1
Gegenvorschlag, der, "-e 81/5
gehen (1), er geht *(Wie geht's?)*
 8/3
gehen (2), er geht *(Er geht in die
 Klasse 7a.)* 12/1
gehen (3), er geht *(Das geht.)* 43/5
gelb 37/4
Geld, das, -er 23/18
Geldbeutel, der, – 19
genau 68/7
genial 16/20
geradeaus 74/4
Geräusch, das, -e 7/2
gern(e), lieber, am liebsten 12/1
Gerüst, das, -e 89/19
Geschenk, das, -e 67/2
Geschichte (1) *Sg.* ohne Artikel
 (das Schulfach) 25/4
Geschichte (2), die, -n *(die
 „Story")* 40/17
Geschirrspülmaschine, die, -n
 88/17
geschlossen 42/1
Geschwister *Pl.* 54/1
gestern 70/13
gesund 87/14
geteilt *(geteilt durch 3)* 53/17
Gewerbezentrum, das, -zentren
 79/1
Gitarre, die, -n 12/1
Gitarrenunterricht, der *Sg.* 91/4
glauben 40/17
gleich (1) *(Es ist gleich 3 Uhr.)*
 46/15
gleich (2) *(Was ist gleich? Was ist
 anders?)* 86/5
Glück, das *Sg.* 66/1
Glückwunsch, der, "-e 66/1
Grad, der, -e 94/11
Grafik, die, -en 43/4
Grafiker/Grafikerin,
 der, – / die, -nen 55/2
Grammatik, die, -en 40/15
Grammatiksprache, die, -n
 97/20
grau 37/5
groß 26/12
Großeltern *Pl.* 54/1
Großmutter, die, "- 54/1
Großstadt, die, "-e 78/1

Großvater, der, "- 54/1
grün 37/5
Gruß, der, "-e 25/3
gucken 82/11
gut, besser, am besten 8/3
Gute, das *Sg.* 66
Guten Abend! 8
Guten Morgen! 9/8
Guten Tag! 8
Gymnasium, das, Gymnasien
 12/1
ha, ha 92/5
Haar, das, -e 87/14
haben, er hat 12/1
Hafen, der, "- 78/1
Hafenrundfahrt, die, -en 80/4
halb 27/13
Hallo! 8
Halsband, das, "-er 38/8
Hamburger, der, – *(eine Speise)*
 23/17
Hamster, der, – 60/1
Handballtraining, das, -s 44/7
Handy, das, -s 19
hängen, er hängt 75/9
hassen 37/4
Hauptstadt, die, "-e 78/1
Haus, das, "-er 15/14
Hausaufgabe, die, -n 38/8
Hausmeister/-meisterin,
 der, – / die, -nen 33/13
he 73/2
Heft, das, -e 18
heißen, er heißt 8
helfen, er hilft 38/10
Herbst, der, -e 67/3
herkommen, er kommt her
 77/12
Herr, der, -en 8
herzlich 25/3
heute 16/20
heute Abend 43/4
hey 57/8
Hi! 8/3
hier 8/3
Hilfe, die, -n 83/14
Hilfe! 83/14
hinfahren, er fährt hin 83/12
hingehen, er geht hin 73/2
hinten 54/2
hinter (+ *A./D.*) 74/7
Hobby, das, -s 12/1
hoch *(die Treppe hoch)* 73/2
Homepage, die, -s 24/2
hören 8/3
Hotel, das, -s 15/14

Hund, der, -e 21/11
Hunger, der *Sg.* 82/11
Idee, die, -n 81/5
ihr-Form, die, -en 58/13
im (= in dem) (+ *D.*) 28/19
Imbissbude, die, -n 82/11
immer 28/21
Imperativ, der, -e 58/13
in (+ *A./D.*) 12/1
Industriezentrum, das, -zentren
   79/1
Info, die, -s 25/3
Informatik, die *Sg.* 24
Information, die, -en 12
informieren 24/2
intelligent 14/8
interessant 6/1
Interesse, das, -n 23/18
interessieren 96/17
international 6
ins (= in das) (+ *A.*) 47/18
Insel, die, -n 78/1
Internet, das, -s 81/6
Internetadresse, die, -n 96/17
Interview, das, -s 29/25
Interviewspiel, das, -e 93/9
ja 8/3
Ja-Antwort, die, -en 93/9
Ja/Nein-Frage, die, -n 22
Jahr, das, -e 12/1
Jazz, der *Sg.* 12/1
je 92/7
Jeans, die, – 46/15
jed- *(Jeder notiert drei Nomen.)*
   32/9
jetzt 12/1
Job, der, -s 95/12
joggen 48/1
Judo *Sg.* ohne Artikel 24
Jugendclub, der, -s 91/4
Jugendgruppe, die, -n 81/6
Jugendherberge, die, -n 81/6
Jugendherbergsausweis, der, -e
   81/9
Jugendliche, der/die, -n 67/2
Jugendzentrum, das, -zentren
   90/2
Junge, der, -n 55/2
Juni, der, -s 44/7
Kaffee, der, -s 16/20
Kakao, der, -s 53/16
Kalender, der, – 68/5
Kanarienvogel, der, "– 37/4
Känguru, das, -s 39/14
Kaninchen, das, – 56/6
kaputt 70/14

Karte, die, -n 33/14
Kassette, die, -n 18
Kasten, der, "– 51/10
Katze, die, -n 12/1
kaufen 81/9
kennen, er kennt 10/10
kein- *(Keine Ahnung!)* 7/1
Ketchup, das, -s 82/11
Keyboard, das, -s 75/9
kg (= Kilogramm, das, –) 40/17
Kind, das, -er 54/1
Kino, das, -s 21/10
Kiosk, der, Kioske 84/1
klappern 89/19
klar 43/4
klären 95/12
Klasse, die, -n 12/1
klasse, *, * 81/5
Klassenarbeit, die, -en 76/11
Klassenzimmer, das, – 33/13
Klavier, das, -e 12/1
Klavierunterricht, der *Sg.* 70/14
klein 40/17
klettern 78/1
klingeln 61/4
km (= Kilometer, der, –) 92/5
Koch/Köchin, der, "-e / die, -nen
   55/2
kochen 12/1
komisch 77/12
kommen, er kommt 12/1
Kommentar, der, -e 6
Kommissar/Kommissarin,
   der, -e / die, -nen 38/8
Kompositum, das, Komposita
   20/6
König/Königin, der, -e / die, -nen
   71/15
können, er kann 12/1
kontrollieren 33/12
konzentrieren 35/18
Konzert, das, -e 23/18
Kopf, der, "-e 60/1
korrigieren 64/14
kosten 37/4
Krabbe, die, -n 82/11
krank 70/12
Krankenhaus, das, "-er 68/7
Krimi, der, -s 63/9
Kriminelle, der/die, -n 87/14
Krokodil, das, -e 39/14
Kuchen, der, – 67/2
Kuh, die, "-e 36/1
kühl 94/11
Kuli, der, -s (= Kugelschreiber,
   der, –) 18

Kunst die, "-e, als Schulfach:
   Sg. ohne Artikel 25/3
kurz, kürzer, am kürzesten
   15/12
lachen 51/10
Lampe, die, -n 33/12
Land, das, "-er 17/22
Ländername, der, -n 15/12
Landeskundequiz, das, – 97/18
Landkarte, die, -n 79/2
lang *(ein langer Vokal)* 15/12
lange *(Heute darf ich lange
   aufbleiben.)* 71/15
langsam 28/22
langweilig 60/1
Laufdiktat, das, -e 93/8
laufen, er läuft 37/4
laut 34/17
leben *(Der Elefant lebt in Afrika.)*
   60/1
Leben, das, – 84
lecker 82/11
Lederjacke, die, -n 46/15
leer 88/17
leer machen 88/17
Lehrer/Lehrerin,
   der, – / die, -nen 19/2
Lehrerzimmer, das, – 72/1
Lehrwerk, das, -e 97/19
Leiche, die, -n 89/19
leicht 39/11
leidtun *(Es tut mir leid.)*
   46/17
leider 43/5
lernen 20/4
Lernkärtchen, das, – 98/22
Lernkarte, die, -n 28/21
Lernplakat, das, -e 11/12
Lerntipp, der, -s 20/4
Lernzeit, die, -en 98/22
lesen, er liest 8/3
Lesestrategie, die, -n 17/22
Leute *Pl.* 14/10
lieb 25/3
lieben 12/1
Lieblingsessen, das, – 71/15
Lieblingsfach, das, "-er 32/7
Lieblingsmusik, die, -en 45/11
Lieblingstier, das, -e 36/3
Lied, das, -er 8/5
liegen (1), er liegt *(Bern liegt in der
   Schweiz.)* 16/18
liegen (2), er liegt *(Die Gitarre
   liegt auf dem Boden.)* 75/9
Lineal, das, -e 18
links 54/2

Lippe, die, -n 46/15
Liste, die, -n 38/9
Lokomotive, die, -n 52/14
los sein *(Was ist los?)* 46/15
losfahren, er fährt los 80/4
Lottozahl, die, -en 26/10
Lust, die *Sg.* 23/18
lustig 92/5
machen (1) *(eine Liste machen)* 11/12
machen (2) *(Spaß machen)* 16/18
machen (3) *(Musik machen)* 48/1
machen (4) *(Urlaub machen)* 78/1
machen (5) *(Das macht 10 Euro.)* 82/11
Mädchen, das, – 17/22
mähen 95/14
mal (1) *(Drei mal drei ist neun. / 3-mal, dreimal)* 26/10
mal (2) (= einmal) 59/16
malen 48/1
Mama, die, -s 57/8
man 81/6
manchmal 37/4
Mann, der, "-er 54/1
Mann! 83/14
Mäppchen, das, – 18
Marker, der, – 18
markieren 15/13
Markierung, die, -en 15/12
Maskulinum, das, Maskulina 39/11
Mathe *Sg.* ohne Artikel *(Abk. für das Schulfach Mathematik)* 33/14
Mathearbeit, die, -en 86/6
Matheaufgabe, die, -n 45/11
Mathenote, die, -n 52/15
Mathematik, die, -en 25/3
Maus, die, "-e 37/6
Medium, das, Medien 48/2
Meer, das, -e 55/2
Meerschweinchen, das, – 60/1
mehr *(Ich kann nicht mehr!)* 83/14
meistens 84/1
melden 61/4
merken, sich 39/11
Meter, der, – 26/12
Millionenspiel, das, -e 97/18
Minidialog, der, -e 43/5
Minute, die, -n 28/19
Missverständnis, das, -se 46
Mist *Sg.* 23/17
mit (+ *D.*) 8/4
mitbringen, er bringt mit 14/9

mitgehen, er geht mit 43/4
mitkommen, er kommt mit 23/18
mitsingen, er singt mit 16/20
Mittagessen, das, – 81/9
Mittagspause, die, -n 25/3
Mitte, die *Sg.* 54/2
Mitternacht, die *Sg.* 89/19
Mittwoch, der, -e 25/3
mmmmh 82/11
Modalverb, das, -en 71/16
Model, das, -s 87/10
Modelleisenbahn, die, -en 52/14
mögen, er mag 8
Monat, der, -e 55/2
Mond(en)schein, der *Sg.* 89/19
Montag, der, -e 25/3
morgen 43/6
Morgen, der, – 9/8
morgens 88/16
Motor, der, -en 21/8
müde 70/14
Müllcontainer, der, – 95/12
Museum, das, Museen 43/5
Musik, die, -en 9
müssen, er muss 25/3
Mutter, die, "– 37/4
na ja 88/17
nach (+ *D.*) 27/13
nach Hause 45/11
Nachbar/Nachbarin, der, -n / die, -nen 56/6
Nachhilfe, die, -n 44/7
Nachhilfeunterricht, der *Sg.* 47/20
Nachmittag, der, -e 25/3
Nachricht, die, -en 77/12
nachschlagen, er schlägt nach 45/13
nachsprechen, er spricht nach 15/16
Nacht, die, "-e 81/8
nachts 60/1
Nähe, die *Sg.* 96/17
Name, der, -n 8
nass 46/15
natürlich 16/20
neben (+ *A./D.*) 55/2
nee 82/11
nehmen (1), er nimmt *(Er nimmt den Bus.)* 46/15
nehmen (2), er nimmt *(Er nimmt ein Fischbrötchen.)* 82/11
nein 7/1
Nein-Typ, der, -en 47/19
nennen, er nennt 55/2

nett 71/15
neu 33/11
nicht 16/18
nichts 29/25
noch 25/3
noch einmal 58/10
Nomen, das, – 20
Nominativ, der, -e 86/5
Norden, der *Sg.* 78/1
Nordosten, der *Sg.* 78/1
Nordwesten, der *Sg.* 78/1
normal 65/19
Note, die, -n 77/11
notieren 11/1
Notiz, die, -en 33/11
Nr. (= Nummer, die, -n) 54/2
Nudelsalat, der, -e 69/10
Nummer, die, -n *(Abk. Nr.)* 28/20
nur 46/17
oder 16/20
öffnen 42/1
oft 58/10
oh 8/3
ohne (+ *A.*) 32/9
Oje! 38/8
o.k. (= okay) 43/4
Oma, die, -s 54/1
Onkel, der, – 54/1
Opa, der, -s 54/1
Orangensaft, der, "-e 85/3
Orchester, das, – 24
ordentlich 98/22
Ordinalzahl, die, -en 68/5
ordnen 28/20
organisieren 98/22
Orientierung, die *Sg.* 74/4
Ort, der, -e 73/2
Osten, der *Sg.* 78/1
Ostern, das, – 66/1
Österreich *Sg.* ohne Artikel 7/1
Ostersonntag, der, -e 90/1
paar 84/1
packen 84/1
Paddelboot, das, -e 8/5
Pantomime, die, -n 88/15
Papa, der, -s 55/2
Papagei, der, -en 36/1
Park, der, -s 43/5
parken 92/5
Parlament, das, -e 78/1
Partner/Partnerin, der, – / die, -nen 91/4
Party, die, -s 44/7
passen 31/5
passend 32/9

passieren 37/7
Pause, die, -n 27/18
Pausenbrot, das, -e 19
Pausenhof, der, "-e 33/13
Person, die, -en 12/4
Personalpronomen, das, – 29/25
Pferd, das, -e 36/1
Pfingsten, das, – 80/4
Pfote, die, -n 37/7
Physik die, -en, als Schulfach:
    Sg. ohne Artikel 25/3
Pinguin, der, -e 36/1
Pilot/Pilotin, der, -en / die, -nen
    87/10
Pizza, die, -s 14/8
Plan, der, "-e 65/19
planen 80/4
plötzlich 92/5
Plural, der, -e 28/19
Pluralform, die, -en 28
Politiker/Politikerin,
    der, – / die, -nen 87/10
Polizei, die Sg. 92/5
Polizist/Polizistin,
    der, -en / die, -nen 87/10
Pommes Pl. (= Pommes frites)
    70/13
Pony, das, -s 37/4
Position, die, -en 50/6
Post, die Sg. 95/12
Poster, das, – 33/12
Postkarte, die, -n 83/12
praktisch 81/6
Präposition, die, -en 74/7
präsentieren 16/20
Präteritum, das, Präterita 97/20
pro (+ A.) 67/2
Problem, das, -e 20/4
Projekt, das, -e 14/9
Pronomen, das, – 28/22
PS (= Postskriptum, das,
    Postskripta) 94/11
pünktlich 84/1
quatschen 72/1
Quiz, das, – 14/8
Rad (hier = Fahrrad), das, "-er
    47/18
Radfahren, das Sg. 64/14
Radiergummi, der, -s 18
Radio, das, -s 28/20
Rap, der, -s 52/14
Rasen, der, – 95/14
raten 15/17
Rathaus, das, "-er 78/1
Ratte, die, -n 13/7
Raum, der, "-e 81/9

rechts 54/2
Rechtsanwalt/-anwältin,
    der, "-e / die, -nen 87/10
reden 84/1
Reflexivpronomen, das, – 86/7
Regel, die, -n 20/7
regelmäßig 13/6
Regen, der Sg. 94/11
Regierung, die, -en 78/1
regnen 46/15
Reihe, die, -n 26/8
Reihenfolge, die, -n 33/13
Reise, die, -n 66/1
Reiten, das Sg. 64/14
Religion, die, -en 25/3
rennen, er rennt 72/1
reparieren 87/14
Restaurant, das, -s 87/14
richtig 22/13
Richtige Pl. (im Lotto 6 Richtige
    haben) 26/10
Riesenrad, das, "-er 78/1
Rock, der Sg. (Rock-Musik) 29/25
Rock 'n' Roll, der Sg. 89/19
Roller, der, – 48/1
rot 37/5
Rucksack, der, "-e 33/12
Rückseite, die, -n 61/3
Ruder, das, – 25/3
Rudern, das Sg. 24
rufen, er ruft 38/8
runter (die Treppe runter) 73/2
runterwollen, er will runter 83/14
Sache, die, -n 65/19
Safaripark, der, -s 48/1
sagen 16/20
sammeln 11/12
Samstag, der, -e 25/3
Samstagmorgen, der, – 91/4
Sänger/Sängerin,
    der, – / die, -nen 14/8
Satz, der, "-e 15/15
Satzanfang, der, "-e 40/16
Satzbaukasten, der, "- 47/18
Satzklammer, die, -n 71/16
Satzmelodie, die, -n 15
sauer 92/5
saugen 88/17
Saxofon, das, -e 16/20
Schachtel, die, -n 75/9
schade 43/5
Schauspieler/-spielerin,
    der, – / die, -nen 87/10
scheinen, er scheint (Die Sonne
    scheint.) 78/1
schenken 86/6

Schere, die, -n 18
Schiff, das, -e 80/4
Schlafen, das Sg. 63/10
schlafen, er schläft 81/6
schlagen, er schlägt (Die Uhr
    schlägt zwölf.) 89/19
Schlange, die, -n 36/1
schlecht (1) (Er ist schlecht in
    Mathe.) 77/12
schlecht (2) (Mir ist schlecht!)
    83/14
schließen, er schließt 42/1
Schloss, das, "-er (das Bauwerk)
    81/6
Schluss, der Sg. 27/18
schmecken 53/16
Schnauze, die, -n 37/7
Schnüffel-Strategie, die, -n 84/1
Schokolade, die, -n 18
schon 28/22
schön 6/1
schrecklich 47/20
schreiben, er schreibt 9/8
Schreibmaschine, die, -n 21/10
Schreiner/Schreinerin,
    der, – / die, -nen 87/10
Schule, die, -n 9/8
Schüler/Schülerin,
    der, – / die, -nen 24
Schulfach, das, "-er 25/4
Schulferien Pl. 93/10
schulfrei, *, * 25/3
Schulhof, der, "-e 21/11
Schulklasse, die, -n 81/6
Schulstunde, die, -n 28/19
Schultag, der, -e 27/17
Schultasche, die, -n 18
Schulwoche, die, -n 28/19
Schulzeitung, die, -en 24
Schwanz, der, "-e 37/7
schwarz 37/4
Schweiz, die Sg. 7/1
schwer 16/18
Schwester, die, -n 36/3
Schwimmbad, das, "-er 48/1
schwimmen, er schwimmt 12/1
Schwimmen, das Sg. 24
schwitzen 72/1
See, der, -n 64/17
segeln 78/1
sehen, er sieht 49/1
sehr 16/18
sein, er ist 6/1
Seite, die, -n 31/4
Sekretariat, das, -e 72/1
Sekunde, die, -n 28/19

Anhang

Anhang 1: Unregelmäßige Verben im Präsens

abfahren	er fährt ab	gefallen	er gefällt	schlagen	er schlägt
anfangen	er fängt an	helfen	er hilft	sein	er ist
auffallen	er fällt auf	hinfahren	er fährt hin	sprechen	er spricht
aufschlagen	er schlägt auf	können	er kann	treffen	er trifft
aussehen	er sieht aus	laufen	er läuft	vergessen	er vergisst
aussprechen	er spricht aus	lesen	er liest	vorlesen	er liest vor
austragen	er trägt aus	losfahren	er fährt los	vorschlagen	er schlägt vor
backen	er bäckt/backt	mögen	er mag	waschen	er wäscht
behalten	er behält	müssen	er muss	weiterfahren	er fährt weiter
essen	er isst	nachschlagen	er schlägt nach	wissen	er weiß
einladen	er lädt ein	nachsprechen	er spricht nach	wollen	er will
fernsehen	er sieht fern	nehmen	er nimmt	zuschlagen	er schlägt zu
fressen	er frisst	schlafen	er schläft		

Anhang 2: Zahlen

Kardinalzahlen

1	eins	13	dreizehn	60	sechzig
2	zwei	14	vierzehn	70	siebzig
3	drei	15	fünfzehn	80	achtzig
4	vier	16	sechzehn	90	neunzig
5	fünf	17	siebzehn	100	(ein)hundert
6	sechs	18	achtzehn	101	(ein)hundert(und)eins
7	sieben	19	neunzehn	200	zweihundert
8	acht	20	zwanzig	213	zweihundertdreizehn
9	neun	21	einundzwanzig	1 000	(ein)tausend
10	zehn	30	dreißig	1 000 000	eine Million (-en)
11	elf	40	vierzig	1 000 000 000	eine Milliarde (-en)
12	zwölf	50	fünfzig		

Ordinalzahlen

1.	(der/das/die) erste …	11.	elfte	30.	dreißigste
2.	zweite	12.	zwölfte	40.	vierzigste
3.	dritte	13.	dreizehnte	50.	fünfzigste
4.	vierte	14.	vierzehnte	60.	sechzigste
5.	fünfte	15	fünfzehnte	70.	siebzigste
6.	sechste	16.	sechzehnte	80.	achtzigste
7.	siebte	17.	siebzehnte	90.	neunzigste
8.	achte	18.	achtzehnte	100.	hundertste
9.	neunte	19.	neunzehnte	900.	neunhundertste
10.	zehnte	20	zwanzigste	1 000.	tausendste

Anhang 3: Zeiten

1. Stunde und Uhrzeiten

Uhr, die, -en
Uhrzeit, die, -en
Stunde, die, -n
Viertelstunde, die, -n
Minute, die, -n
Sekunde, die, Sekunden

2. Tag und Tageszeiten

Tag, der, -e	täglich
Morgen, der, –	morgens
Vormittag, der, -e	vormittags
Mittag, der, -e	mittags
Nachmittag, der, -e	nachmittags
Abend, der, -e	abends
Nacht, die, "-e	nachts
Mitternacht, die, "-e	mitternachts

3. Woche und Wochentage

Montag, der, -e	montags	Feiertag, der, -e
Dienstag, der, -e	dienstags	Festtag, der, -e
Mittwoch, der, -e	mittwochs	wöchentlich
Donnerstag, der, -e	donnerstags	
Freitag, der, -e	freitags	
Samstag/Sonnabend, der, -e	samstags/sonnabends	
Sonntag, der, -e	sonntags	

4. Monate

Januar	August
Februar	September
März	Oktober
April	November
Mai	Dezember
Juni	
Juli	monatlich

5. Datum

1999 neunzehnhundertneunundneunzig
2005 zweitausend(und)fünf
1. März / 1.3. Heute ist der erste März /
der erste Dritte.
12. April 2005 – 12.4.2005 – 12.04.05

6. Jahr und Jahreszeiten

Jahr, das, -e	Frühling, der, -e / Frühjahr, das, -e
Jahreszeit, die, -en	Sommer, der, –
jährlich	Herbst, der, -e
	Winter, der, –

Anhang 4: Maße und Gewichte

Zentimeter, der, –	cm	1 km = 1000 m	
Meter, der, –	m	1 m = 100 cm	
Kilometer, der, –	km		
Quadratmeter, der, –	qm/m^2		
		Gramm, das, –	g
Liter, der, –	l	Kilogramm, das, –	kg
		1 kg = 1000 g	

Quellen

U 2 © Polyglott Verlag GmbH, München

S. 6/7 1/8 Rohrmann, 2 Süddeutsche Zeitung, 3 Sturm, 4 Tony Stone, 5 VW-Archiv, 6 White Star

S. 8 Süddeutsche Zeitung
Lied aus: Neuner/ Vahle
Paule Puhmanns Paddelboot
© AKTIVE MUSIK Verlagsgesellschaft mbH, Dortmund

S. 10 M./u. l. Rohrmann, u. r.: Scherling

S. 11 l.: dpa, München, r.: Jenoptik

S. 12/13 Daly (2)

S. 14 Mariotta (5)

S. 17 Mariotta

S. 18/19 Sturm

S. 21 Sturm

S. 22 Sturm (3)

S. 23 Sturm

S. 24 Kraß (3)
Foto Ruder-AG: Koenig

S. 26 Sturm

S. 27 Scherling
Sturm

S. 29 © TOM, Cartoons / Comics, Tom Körner, Berlin

S. 30 Sturm

S. 33 Daly
2 Daly, 4 Scherling, 5/7 Rohrmann

S. 36 o.: 1/4/6 Funk, 2/7 Rohrmann, 3 Scherling, 5/8 Okapia
u.: a Daly, b Funk, c White Star

S. 41 o.: Sturm, M.: Koenig, u. l.: „Hunde&Katzen", Koch, Landsberg am Lech, u. r.: Sturm

S. 42 o.: Koenig, u. l.: Koenig, u. r.: Rohrmann

S. 43 Sturm

S. 48/49 1 Daly, 2 Rohrmann, 3 Koenig, 5/7 Sturm, 8 Scherling

S. 52 1–3 Daly

S. 54 A Archiv Bild & Ton, B/C Daly

S. 55 Daly

S. 56 v. l. n. r.: Daly (2), Sturm

S. 57 Daly

S. 61 Sturm

S. 62 o. Daly, M. v. l. n. r.: Sturm, Funk (2)

S. 63 Daly

S. 66 1 Scherling, 2/5 Daly, 4 Sturm, 6 Archiv: Bild & Ton

S. 67 Sturm

S. 69 Daly (3)

S. 71 Koenig (3)

S. 72 a/c Daly, b/d–i Sturm

S. 77 Rohrmann

S. 78/79 a/e/b IFA, f/g Funk, d Koenig, c Scherling, h Sulzer, i White Star

S. 80 Daly

S. 81 Deutsches Jugendherbergswerk, München

S. 82 o.: 1/3 Koenig, 2 White Star
M./l.: Koenig, r.: Daly

S. 83 Koenig

S. 84 Daly (3)

S. 88 Standfotos aus: geni@l A1, Video
© Martin Noweck und Andreas Scherling

S. 89 l./r. Daly, M. Busch

S. 89 Lied: F. Vahle
© AKTIVE MUSIK Verlagsgesellschaft mbH, Dortmund

S. 93 Mariotta

S. 94 a Rohrmann, b Funk, c Koenig

S. 98 Funk